Pórtate bien

M.ª Luisa Ferrerós

Pórtate bien

El método a medida para entender
y educar a tus hijos

CÍRCULO de LECTORES

Índice

A mis padres, que me han permitido aprender con su ejemplo, y a mis hijos, Natalia y Fede, porque me han dado la oportunidad de ponerlo en práctica. Con todo mi cariño, por su paciencia y apoyo incondicional

Prólogo

Recuerdo bien cómo hace ya algunos años, una despierta psicóloga, M.ª Luisa Ferrerós, acudía a las clases de Patología del Sueño que impartíamos en nuestra Unidad del Sueño del Institut Universitari Dexeus. Eran sesiones abiertas a médicos y a otros profesionales del campo de la salud que se interesaban por el conocimiento del sueño. Personalmente siempre he pensado que psicólogos y pedagogos deben tener un papel importante en el tratamiento de patologías específicas del sueño, como era el caso de los insomnios, tanto en niños como en adultos.

La medicina siempre avanza gracias a otras ciencias. La química y la física han sido y siguen siendo básicas en el conocimiento de las enfermedades y junto con otras muchas disciplinas nos permiten llegar a nuevos tratamientos. La psicología y la pedagogía son dos de estas ciencias, antaño poco valoradas, que han sido fundamentales para mejorar el conocimiento y, consecuentemente, el tratamiento de problemas comunes en la infancia. Mis libros sobre el sueño *Duérmete niño*, *Vamos a la cama* y el recientemente aparecido *Método Estivill. Guía rápida*, así lo demuestran. Los conocimientos biológicos sobre el desarrollo del ritmo circadiano y el uso de técnicas conductuales son las bases del reconocimiento público que han tenido.

Por este motivo, es un honor prologar un libro como el de M.ª Luisa, donde la metodología de la modificación conductual es la base de casi todos sus sabios consejos. *Pórtate bien* es un práctico manual para enseñar buenos hábitos a los niños y proporcionar información a los padres, de forma que se sientan un poco más seguros en el momento de tomar decisiones sobre la educación de sus hijos, no siempre fáciles, ya que los niños son muy listos.

DR. EDUARD ESTIVILL
Jefe de la Unidad del Sueño
Institut Universitari Dexeus, Barcelona

Introducción

¿Por qué es necesario un libro sobre cómo educar, si resulta que cada niño es diferente, cada situación un mundo y cada padre tiene una forma personal de afrontarlo?

Precisamente, porque los niños no nacen con un libro de instrucciones bajo el brazo y los padres se encuentran día a día con el dilema de tener que tomar pequeñas y diferentes decisiones a lo largo de la infancia del hijo. Ante situaciones como «no me come», «no hay manera de quitarle el chupete», «llora por todo», «tiene pataletas tremendas», «no duerme por las noches», nos planteamos constantemente: «¿Qué hacemos?».

Y nuestras múltiples dudas reciben variados consejos de las más diversas fuentes, desde la vecina a cuyo hijo le pasaba lo mismo que al nuestro hasta la amiga que nos advierte de los peligros posteriores, «ya verás... si le dejas hacer eso, nunca más te hará caso», pasando por las abuelas que intentan ayudar y a menudo te confunden... Y, después de todo eso, aún nos falta lo más importante: ponernos de acuerdo papá y mamá. De ahí la razón de este libro, resolver todo lo anterior y, sobre todo, responder a la cuestión más importante: «¿lo estamos haciendo bien?», que se plantean la mayoría de padres.

Educar significa poner límites a la conducta de nuestros hijos, lo que puede variar significativamente dependiendo de la edad. La educación de nuestros hijos es una carrera de fondo, en la que cada día se van alcanzando pequeños objetivos, que nos permitirán construir unos sólidos cimientos sobre los que se asentarán las futuras reacciones de nuestros hijos.

Cada situación genera un aprendizaje, tanto para padres como para hijos, la educación es una tarea en la que se precisa una gran dosis de observación y de paciencia. Cada niño reacciona de manera diferente ante la misma situación y cada padre también... Para poder aplicar nuestro método educativo hemos de estar predispuestos a emplearnos a fondo. Implicarnos tanto emocional como intelectualmente, ya que una de las premisas fundamentales de este método se basa en la comprensión objetiva de vuestro hijo a lo largo de su desarrollo. Al igual que el pediatra anota periódicamente el peso y la talla del niño, los padres anotarán una serie de variables emocionales, que serán los datos objetivos desde los que aplicaremos nuestras pautas educativas y extraeremos útiles conclusiones. Éstas no se verán distorsionadas por lo que a uno o a otros les ha parecido entender, oír o interpretar, sino que serán datos reales.

Esta nueva y revolucionaria técnica es lo que facilita enormemente la tarea educativa y consigue un nivel de eficacia sorprendente: el 90 % de los casos en los que se ha aplicado. El método educativo que proponemos en esta obra va más allá de inculcar a los niños que digan «gracias» cuando se les hace un regalo o pidan las cosas por favor, sino que pretende transmitir el porqué de estas conductas.

Las claves del método educativo

Tenemos la impresión de que ser padres no es una tarea fácil; sin embargo, con el método educativo adecuado todo cambia. Es importante tener a mano un manual de instrucciones para saber qué hacer cuando suena la señal de alarma. Esto suele suceder cuando estamos empezando a perder los papeles y nos planteamos si hemos nacido para ser padres. Pensamos que nadie nos ha enseñado lo que hay que hacer, y si miramos hacia atrás para intentar tomar alguna referencia útil de nuestros padres o abuelos, de poco nos sirve. Los tiempos han cambiado y no queremos caer en los mismos errores. A menudo caemos en el tópico de pensar que si enseñamos a nuestro hijo a pedir las cosas por favor o a dar las gracias ya lo tenemos educado. Pero en realidad no es así. No son más importantes las formas que el fondo. Lo que hemos de conseguir es que nuestros hijos entiendan y razonen los motivos que hay detrás, que sean capaces de reflexionar y darse cuenta de que para ganarse la confianza hay que empezar por portarse bien con los demás. Y las buenas formas no son sino una manera de exteriorizarlo. Pero el no saber el porqué, lo convierte en algo sin sentido. Si los padres no son capaces de controlar la situación ante un «mocoso» de 2 años que les toma el pelo de continuo, difícilmente lo conseguirán cuando este niño tenga doce. A menos que se pongan manos a la obra ¡YA!

A los 2 años casi todo lo que hace nuestro hijo nos hace gracia, le consentimos que nos levante la mano (en broma claro), que nos llame tontos, que nos escupa la comida del plato, y tantas cosas que en este momento no tienen mayor importancia, aunque sí la tiene el mensaje de fondo. Si no le enseñamos a respetar unas normas de convivencia con las personas que más le quieren en este mundo, que son sus papás, cuando sea mayor él no se sabrá hacer respetar por los demás, no sabrá cómo interpretar las acciones de los otros y se dejará pisar por sus amigos, jefes, parejas, etc., porque no habrá aprendido a poner límites. Ya que a él no se los han puesto. Su conclusión será: «Todo vale».

El informe Delors, elaborado a petición de la Unesco por una comisión internacional, sobre la educación del siglo XXI, señala como los «cuatro pilares de la educación» el aprender a hacer, a conocer, a vivir juntos y a ser, dando lugar a una propuesta renovadora: la educación a lo largo de toda la vida.

> La tarea de los padres no da resultados inmediatos sino a largo plazo. Por eso no hemos de perder nunca de vista las consecuencias posteriores de lo que hacemos en cada momento.

> **Tener perspectiva debe ser una de nuestras premisas más importantes junto con el estado permanente de observación.**

¿Qué hemos de observar?

Existe una serie de aspectos a los que hemos de prestar una especial atención. La dificultad que entraña tratar con niños estriba en que a menudo ni ellos mismos saben lo que les pasa o no lo saben explicar. Aquí los padres nos convertimos en una especie de detectives o investigadores privados. Pero para poder detectar si algo no marcha bien con alguno de tus hijos o con el único, no basta con estar muchas horas con él: ¡hay que estar permanentemente alerta!

La revolución más importante que introduce este nuevo método es la de tratar con datos objetivos. Para ello no basta sólo con estar pendiente sino que hay que anotar, con papel y lápiz, y elaborar un diario del comportamiento de vuestro hijo, con las tablas que os mostramos, y que hemos recopilado en la parte final del libro para que las podáis utilizar.

Nos interesa saber cómo reaccionan, cómo se comportan, cómo se sienten ante determinados estímulos. Si tenéis más de un hijo, cada uno ha de tener su cuaderno de anotaciones, ya que, como explicamos en el capítulo referente a crecer con hermanos sin rivalidades ni celos, cada hijo es diferente, y éste es un método personalizado adaptado a las características individuales de cada niño. El motivo de estas anotaciones es doble: por una parte es necesario para que las observaciones sean objetivas, y por otro para facilitar el trabajo en equipo.

A menudo nos puede dar la impresión de que el niño es muy llorón, que siempre monta unas pataletas de órdago o que continuamente se le escapa el pipí. Pero si lo apuntamos en el cuaderno de anotaciones que os mostramos en la tabla, al final de una semana nos daremos cuenta de que son impresiones nuestras y por tanto subjetivas, y a lo mejor estos comportamientos sólo han ocurrido en dos o tres ocasiones. Lo mismo ocurre con el sueño o la comida: cuántas veces hemos pensado: «Qué poco duerme mi hijo», o «No me come nada». Y sin embargo, si contáramos las horas que duerme al día o pesáramos la cantidad de alimento que ingiere en cada toma, nos quedaríamos asombrados. Hemos de pensar que las percepciones de cada uno son diferentes; para unos padres que lo que quieren es que su hijo se alimente correctamente, que duerma y que todo sea «perfecto», el que su niño del alma no se acabe toda la papilla que le ponemos ya significa que no come; o si se despierta a las siete de la mañana, que duerme poco. Cuando, seguramente, si lo que le ponemos triturado lo pusiéramos en un plato sería una ración de adulto, y si nos diéramos cuenta de que se levanta a las siete porque en total duerme alrededor de quince horas diarias, entre las casi tres horas de siesta y las once que duerme por la noche, quizá nos lo tomaríamos con más calma.

22

Por tanto, partir de unos datos reales y objetivos nos va a permitir reaccionar de una manera adecuada y formarnos una idea más fiel a la realidad de cómo es nuestro hijo. Éste es un punto esencial para el desarrollo de nuestro método.

Consideramos de vital importancia conocer en profundidad a nuestros hijos, puesto que ésta es la primera piedra para construir unas buenas bases educativas. De lo contrario, nos será harto difícil dar en el clavo. Si nos planteamos la siguiente cuestión: ¿Cómo voy a poder educar de una manera eficaz y con resultados positivos a un niño, que es mi hijo, y al cual no conozco?, hemos de reconocer que, habitualmente, por rutina, lo juzgamos por cuatro impresiones personales que tenemos, como por ejemplo: mi hijo es muy revoltoso, o vago, o tímido. Conclusiones que hemos alcanzado, porque cuando llegamos a casa, estamos cansados, y lo que queremos es que el niño se vaya a dormir y no nos apetece jugar con él, con lo que el niño se muestra poco comunicativo, rebelde y no hace caso de lo que le dices. ¿Cuál es el motivo de esta conducta? Está enfadado porque no le hacen el caso que él quisiera. Ésta es la causa de que en la mayoría de las veces, cuando tenemos una reunión con los profesores para hablar de nuestro hijo parece que estamos hablando de niños diferentes. Resulta que en casa se comporta de una manera y en el colegio de otra completamente opuesta. Tanto puede ser que en casa se porte muy bien y en el cole fatal como al revés. El niño suele adoptar un determinado rol en función del papel o etiqueta que le asignan los mayo-

23

res. Si el profesor «conecta» con el niño y está dispuesto a verlo desde un punto de vista benevolente, el niño, en clase, será un encanto. Si por el contrario, no se establece un buen *feeling* entre ambos, maestro-alumno, y además dentro del grupo de la clase se le otorga la etiqueta de revoltoso, su comportamiento se adaptará a esas expectativas.

El niño tiene un amplio espectro de posibilidades; según los estudios de personalidad más avanzados, el 50 % de los rasgos de carácter los heredamos y el otro 50 % lo desarrollamos en función de las experiencias que vamos acumulando. El pequeño muestra diferentes rasgos de su carácter y utiliza los que más se adaptan u obtienen mejores reacciones en los adultos. Todavía no tiene una personalidad preestablecida. Por eso es importante observar y anotar sus reacciones ante diferentes situaciones tal como os proponemos en las tablas correspondientes, según la edad del niño. El objetivo de éstas es el de darnos una perspectiva real de cuál es la tendencia reactiva del niño, para poder adoptar las medidas para adecuar esa reactividad a las normas que queremos que aprenda.

Nuestra meta
Entender cómo piensa, cómo actúa y por qué, para poder aceptarlo tal como es y no como quisiéramos o nos imaginábamos que sería. Hemos de desechar nuestras expectativas y aprender a aceptar las características personales de nuestro hijo.

1. **Entenderlo: saber qué le pasa y por qué.**
2. **Observarlo: anotar determinadas reacciones para tener datos objetivos.**
3. **Comprender sus reacciones.**
4. **Escucharlo para poder conocerlo mejor.**
5. **Darle unas pautas firmes en las que se pueda apoyar.**
6. **Confiar en él, y lo más importante: demostrárselo.**

Todo esto precisa una planificación, pero ¡no os asustéis! Parece muy complicado, pero no lo es. Como en casi todo, lo que cuesta es arrancar, dar el paso, pero una vez superado este momento los resultados son inmediatos.

El equipo «Papás» ha de concentrarse, tal como hacen los futbolistas antes de un partido importante. Una vez tomada la decisión de que hay que retomar las riendas de la situación es importante y necesario que os aisléis de vuestra vida cotidiana para poder planificar vuestras nuevas estrategias. Necesitáis «tiempo muerto». ¿Cómo conseguirlo? Echad mano de abuelas, tíos, parientes, incluso amigos, para poder colocar los niños un fin de semana y quedaros solos, cargando pilas y poniendo sobre el papel los pactos educativos a los que vais a llegar. Este paréntesis es básico como toma de conciencia de vuestra nueva relación: formáis parte de un nuevo equipo y se os asignarán diferentes cometidos. Pero algo ha cambiado: ahora estáis los dos juntos, frente al peligro. Se trata de apoyarse mutuamente, hacerse respetar por los niños y crear un punto de apoyo común para que ellos puedan crecer con una base de referencia sólida y estable.

Uno de los peligros más frecuentes es que uno de los padres se alíe con sus hijos en contra del otro, desautorizándolo sin darse cuenta. Pongamos una situación bastante típica: hay una celebración familiar y papá y los niños, en perfecto estado de revista, están esperando a mamá en el coche. Uno de los hijos comenta: «Jo, mamá es una lenta, tarda mucho». ¿Cómo puede reaccionar el padre? De dos formas completamente opuestas: *a)* Asintiendo a lo que dice el niño y por tanto ratificando que no son un equipo, sin prestarle apoyo; *b)* Contestando al niño que mamá tiene todo el derecho del mundo a tardar más, puesto que les ha preparado la ropa a todos, con lo que silencia la reacción negativa del niño y le deja claro que en el equipo «Papás» no hay ni una fisura. Con la segunda opción el padre está enseñando además de forma indirecta dos formas de respeto básicas dentro del núcleo familiar: respeto hacia la madre, incuestionable, y respeto entre los miembros de una pareja que se quiere.

Estos mensajes subliminales son los más efectivos porque quedan grabados en el inconsciente del niño y reacciona de manera automática, sin pensarlo, cuando se encuentra en situaciones parecidas.

Nuestros objetivos

Cómo conseguir que nos tengan respeto

El respeto es una carretera de doble dirección. Los padres también debemos aprender a decir «gracias» y «perdón» debidamente, disculpándonos ante los niños cuando no tenemos razón. Siendo honestos y sinceros, cumpliendo las promesas y mostrando confianza en su juicio y carácter, se establece una base sólida en la relación y los niños aprenden a respetar a los padres y a ellos mismos.

Aprender a utilizar el «no» y a no sentirse culpable por ello

El «no» es una herramienta imprescindible en el proceso educativo del niño. Le ayuda a saber cómo tiene que actuar, cuáles son sus límites y hasta dónde puede llegar. Por eso es importante saber racionarlo. Si constantemente estamos diciéndole «no toques», «no te subas», «no chilles», «no corras», el día que le digamos un «no» verdaderamente importante como «¡no cruces la calle!», seguramente el niño no hará caso. ¿Por qué? Simplemente, porque no le dará importancia debido a un exceso de uso. Hay que aprender a racionarlo en función de la relevancia de la conducta que pensemos reprender. Hemos de decidir de mutuo acuerdo aquellos comportamientos (tres o cuatro) que no queremos consentir debido a sus consecuencias educativas, y concentrar en ellos nuestros «noes». No perdamos el tiempo en intentar conseguir que no se suba al sofá a los dos años, pero no le dejemos de ninguna manera que nos llame «tonta», aunque lo haga con mucha gracia y picardía.

Poner límites sin remordimientos

La vinculación afectiva es el motor biológico del niño, pero hay que saber poner límites sin sentir por ello remordimientos. De hecho, los niños no perciben el consentimiento absoluto como algo positivo, sino todo lo contrario. Sucede a menudo que las madres que trabajan fuera de casa se sienten culpables por no estar todo el tiempo que quisieran con sus hijos y ello les dificulta enormemente la tarea de poner límites. Su sentimiento de culpa hace que sean más permisivas y que intenten compensar la falta de tiempo con una tolerancia excesiva. Piensan como Miriam: «Para el poco rato que estoy con ellos, encima no les voy a estar riñendo». Y, de este razonamiento, pasan a consentirles casi todo. Esta situación tan habitual en nuestro mundo de hoy les hace más daño que bien a los niños, porque lo único que ellos reciben es la inseguridad de su mamá. Una madre, al igual que un padre, se tendría que sentir mal, en todo caso, cuando constantemente «enchufa» a sus hijos porque le agobian, no puede con ellos y prefiere irse al gimnasio, o a tomarse unas tapitas con los amigos, pero nunca por irse a trabajar.

Actualmente la sociedad funciona así y nos hemos de adaptar. Pero se pueden tomar otras medidas como intentar reducir la jornada laboral, del padre o la madre, de forma temporal mientras son pequeños, o pactar con papá y que sea él el que coja la baja. Si se comparten los pequeños ajustes que hay que realizar cuando llega un bebé, éstos son más llevaderos. Es más importante estar con él al 100 % que el hecho de pasar un montón de horas en su compañía. Os necesita a los dos en plena forma, con ganas, de todo corazón, para poder llevar a cabo vuestra tarea sin interferencias ni mala conciencia.

Además de firmeza e inmediatez, el establecimiento de unos límites válidos requiere:

Consistencia. No debilites las reglas establecidas por tu pareja. Los desacuerdos sobre cómo criar a los niños deben discutirse en privado, nunca delante del niño.

Claridad. Establece unas reglas simples y explícalas claramente de antemano. El niño nunca debe dudar acerca de las normas.

Flexibilidad. Con los niños pequeños, la negociación es inútil. Pero pactar de antemano suele funcionar muy bien. Aprovecha el carácter individual de cada uno para ajustar las reglas, de vez en cuando, en función de su personalidad.

Privacidad. Si es posible, nunca regañes al niño en presencia de otros, ya sean amigos, hermanos o adultos. El niño lo suele vivir como una afrenta humillante y puede continuar portándose mal, para salvar las apariencias o para demostrar que no le afecta cuando en realidad está hundido.

Comprensión. Razona todas las reglas en lugar de imponerlas y escucha, también, el punto de vista del niño.

Independencia. Poco a poco, intenta aumentar el papel del niño a la hora de tomar decisiones que afecten a su vida. ¡Anímalo a ser independiente!

Autoridad. Si vacilas, dudas o te sientes culpable a la hora de disciplinar al niño, es probable que acabes haciéndolo mal. Ten el valor de confiar en tu sentido común.

Dar un margen de confianza y libertad para ejercer la responsabilidad

Esto implica que con frecuencia tengáis que reprimir los impulsos de dárselo todo hecho y enfrentarse a la posibilidad de quedar mal delante de la profesora o los demás alumnos. A una determinada edad, entre los 8 y los 10 años, dependiendo de la maduración individual de cada niño, hay que intentar que ellos mismos se preparen la mochila y lo que necesitan para el día siguiente, la bolsa de deporte, los deberes... No hemos de ser nosotros los que les supervisemos, sino ellos los que nos avisen de lo que necesitan. Se han de acostumbrar a ser autosuficientes, previsores o adelantar deberes, por ejemplo, si un día saben que no los podrán hacer. Y esta tarea precisa que vayamos soltando la cuerda de su independencia poco a poco, aunque eso nos cueste dejar de sentirnos imprescindibles para nuestros hijos.

Cómo mantener una actitud abierta

Cuando se tienen hijos, hay que adoptar una actitud abierta para poder comprenderles. Esto exige de nosotros, los padres, comprensión, tolerancia, amor y PACIENCIA.

Vamos a llevarlo a la práctica siguiendo estos pasos:

Mantened la calma. Esta premisa es crucial para el éxito de este método. Es imprescindible armarse de paciencia, respirar hondo y pensarlo dos veces antes de dejarnos llevar por el enfado. La calma y la distancia adecuada, para poder observar la conducta desde nuestras anotaciones objetivas, nos darán el control de la situación.

Id paso a paso. No se pueden saltar etapas, hay que ir despacito pero con buena letra. No podemos empezar la casa por el tejado. Nuestro hijo ha de confiar primero en nosotros para poder hacernos caso. Si está acostumbrado a que le repitamos cien veces las cosas, no penséis que el primer día ya se habrá solucionado todo. Vuestro hijo necesita tiempo para darse cuenta de que las cosas han cambiado; de entrada no se lo va a creer, se lo tenéis que demostrar.

Escuchadlo. Estar abierto a sus explicaciones, a menudo sin demasiado significado, que deberemos recapitular para entender el sentido de lo que intenta decirnos, es fundamental para establecer un nexo afectivo.

31

Su deducción es «si pierden su tiempo escuchándome es que soy importante para ellos». Cuando nunca tenemos tiempo, lo dejamos colgado delante de la tele y nos pasamos una hora al teléfono es cuando el niño se siente defraudado, porque nos interesa más lo que nos cuenta cualquier otra persona que él.

Premiad las conductas positivas. Para ello se debe utilizar la tabla de incentivos, según las distintas edades y variando los objetivos a trabajar cada mes. La tabla la hemos de utilizar cada día, dentro de nuestra rutina a la hora que creamos conveniente, pero siempre igual, de la misma forma. Y no debemos saltárnosla bajo ningún concepto. La constancia es la llave del éxito. Hemos intercalado alguna tabla como ejemplo para cada edad y al final del libro hemos añadido un cuadernillo de anotaciones para que podáis comprobar la evolución del comportamiento de vuestro hijo. Esta tabla se utiliza sólo para seleccionar las conductas que nos interesa fomentar con incentivos positivos. Es decir, que únicamente hacemos caso al niño cuando lo hace bien y para que quede constancia enganchamos la pegatina correspondiente de la tabla de incentivos.

Ignorad los comportamientos molestos. Por el contrario, cuando lo hace mal, ni lo vemos ni le decimos nada. Nuestra actitud ha de ser de total indiferencia. No existen los puntos negativos ni hemos de caer en la trampa de restarle o quitarle las pegatinas cuando cometa algún error. Salvo aquellos que hemos pactado como inadmisibles, que han de ser pocos y muy escogidos, como faltas de respeto, insultos, pegar, contestar mal

GRÁFICA DE INCENTIVOS CONDUCTUALES (0-3 años)

• Ir a la cama								
• Control del pipí								
• Aseo personal								
• Comer solo								
• Vestirse solo								
• Recoger								

tanto a los padres, a los hermanos como a los amigos, y siempre con la misma firmeza y de la misma manera. Lo recomendable es sacar al niño fuera, sin decir una palabra, para evitar que consiga llamar la atención con su actitud transgresora y, una vez allí, actuar como lo haríais en casa. Un gesto vale más que mil palabras.

Sed ecuánimes con los hermanos. Es importante diferenciar los comportamientos de cada uno. Así como suele ser necesario actuar con todos igual frente a una pelea, porque todos están actuando mal, hay que evitar castigarlos a todos sólo porque uno no haya cumplido su parte. Eso sería injusto. No hay que caer en prometer algo, como «si aprobáis esta evaluación iremos todos a un parque temático» o «si sacáis el curso os compraremos un perro», para, luego, si uno de ellos suspende, dejar a todos sin premio. Para evitarlo hay que reflexionar antes de prometer algo que sabemos de antemano que va a ser difícil de cumplir. Porque el efecto negativo es tremendo: por una parte, el hermano que lo fastidia todo se queda muy hundido porque es el culpable de la situación, o se da cuenta de que tiene en sus manos el poder de manipular a la familia y se puede volver insoportable; y, por otro lado, los que se quedan sin la recompensa a sus esfuerzos deciden no trabajar más porque va a dar igual, el resultado es el mismo estudien o no, el premio prometido no ha llegado. A lo que se suma la desagradable sensación de que los padres les han estafado y se han aprovechado de su ilusión. Así que cuidado con las promesas que se hacen alegremente sin pensar.

Orden y organización. En una casa con niños es vital tenerlo todo un poco programado. Los niños funcionan muy bien cuando han establecido un orden, unas normas y se trabaja en equipo. Es decir, si tienen asignado un lugar de responsabilidad en la familia. Cada uno tiene unos derechos y unos deberes de los que ocuparse. Pero, más importante que esto, es establecer unos turnos para realizar las tareas cotidianas, que vayan encadenando las diferentes acciones en función del carácter propio de cada hermano. Un ejemplo que nos produce mucha satisfacción por las dificultades que entrañaba y los resultados positivos que está dando es el de Agustín y Martín. Dos hermanos muy seguidos de 9 y 11 años, entre los cuales se había establecido una relación de «estar a la que se salta» permanente. Se buscaban las cosquillas continuamente, se peleaban, no obedecían... con lo que la convivencia diaria era nefasta. La presencia de la hermana pequeña de 3 años no hacía sino empeorar las cosas. La madre estaba al borde del ataque de nervios y el padre no se hallaba en los momentos de crisis, con lo que la situación era cada vez más insostenible, con el agravante de que empezaba a repercutir en el rendimiento escolar de forma negativa. La solución pasó por establecer una rutina en la que el objetivo era evitar el roce entre ambos hermanos. En función de sus diferentes ritmos, se pactó que, al llegar a casa, primero se duchaba Martín, porque es más rápido y llegaba con hambre. Así que mientras su hermano estaba en el baño, Agustín ponía la mesa para cenar y la madre acababa de preparar la comida. En cuanto Martín salía de la ducha se sentaban a cenar, tanto si estaba el padre como si no, ya que si lo esperaban se podía descontrolar la situación. Él intentaba, por otra parte, hacer lo posible por llegar a tiempo. Una vez terminada la cena, mientras Martín, que ya está relajado porque ha cenado, recoge los platos y se pone a hacer los deberes, Agustín se ducha tranquilamente. Cuando acaba con su aseo, la madre ya ha acostado a la pequeña y puede ayudarles un rato a hacer los deberes, y si el padre ya ha llegado se ponen cada uno con un hijo, en habitaciones diferentes. Con lo que el nivel de estrés de la familia ha disminuido considerablemente. Todos saben lo que les toca hacer en cada momento y se evitan las fricciones, puesto que el tiempo de roce entre los hermanos es mínimo. Todo funciona debido al orden y a la organización. Al reducirse la tensión emocional, todos ganan en calidad de vida y aprenden a relacionarse de otra manera, evitando los conflictos.

Delegad. Supone no querer hacerlo todo uno solo. Pedir la colaboración de toda la familia es necesario para encontrar el equilibrio. Nuestro objetivo no es ser perfectos sino apoyarnos mutuamente para poder llegar a todo sin problemas.

Elegid vuestro estilo educativo de forma consciente y consensuada

Hay que evitar repartirse los papeles: «Él es el bueno y yo la mala» es una situación muy común, con unas consecuencias muy perjudiciales para todos los miembros

36

de la familia. Pero puedes evitarla. Los padres, ante todo, han de tener claro que forman un equipo, ya que si la balanza se desequilibra hacia uno de los progenitores surgen muchos conflictos de pareja.

La clave está en encontrar el equilibrio, ya que, dependiendo del estilo educativo de los padres, se condiciona de forma diferente la manera de ser de los hijos.

La personalidad de los padres, su propia infancia y las experiencias que han vivido como hijos son factores que intervienen de forma inconsciente a la hora de educar. El equipo «Papás» ha de plantearse qué estilo educativo desea ejercer con sus hijos si no quiere verse reproduciendo, sin darse cuenta, aquello por lo que habría puesto la mano en el fuego que jamás le pasaría.

Los puntos básicos para decidir el estilo educativo son:
- **el nivel de responsabilidad que exigiremos**
- **el tipo de límites que impondremos**
- **la forma en la que ejerceremos el control (castigos y premios)**
- **pactar las normas de convivencia**
- **acordar los valores que queremos transmitir**
- **planificar las estrategias que hay que seguir y el papel de cada uno.**

A menudo, el papel de padres nos coge desprevenidos y vamos actuando de forma improvisada. Situaciones parecidas a la de Marta y Paco son más habituales de lo que parece. Cuando Paco llega a casa, se encuentra a su mujer en pleno ataque de nervios porque lleva una hora intentando que el niño entienda que no puede comer chocolate en el salón y lo ha castigado sin televisión. El niño está con una pataleta tremenda y papá al enterarse del motivo del castigo se pone a reír a carcajadas y rescinde el castigo, desautorizando a Marta delante de su hijo. La situación se complica porque Marta no está de acuerdo con la actuación de su marido y empiezan a discutir.

Está claro que Paco y Marta tenían puntos de vista diferentes y, al no haber hablado previamente sobre cuáles habrían de ser los puntos importantes para regañar a su hijo y cómo hacerlo, se encuentran ahora con una situación difícil de resolver.

- Bajo ninguna circunstancia es adecuado desautorizar a la pareja delante de los hijos. Si uno de los miembros de la pareja está haciendo algo con lo que el otro no está de acuerdo, hay que dejarle hacer y comentarlo más tarde en privado. Los niños son muy listos y pueden utilizar el desacuerdo respecto a ellos en su provecho.
- Antes de actuar es mejor consultar con la pareja. Se puede llamar por teléfono: «Niños voy a preguntar a mamá qué opina».

Podéis utilizar la tabla de la página siguiente para valoraros respectivamente en vuestro papel de padres y confrontar vuestras opiniones. Es importante saber qué opina mamá sobre cómo desempeña papá su papel. Y qué opina papá de cómo realiza mamá sus funciones maternales.

Describiremos a continuación una de las herramientas más útiles en nuestra tarea educativa: los signos de alerta. Estas llamadas de atención inconscientes por parte del niño nos permitirán contrastar los efectos nocivos del entorno o las circunstancias que les toca vivir en su equilibrio psicológico.

Signos de alerta

Consideramos como un signo relevante cualquier cambio en el comportamiento habitual del niño. ¿Qué queremos decir con esto? Simplemente, que lo importante no es la pesadilla en sí o que se le escape el pipí, sino que una conducta, que en él era normal, ahora ha cambiado. En el caso de que tenga pesadillas, por ejemplo, que antes no tenía, éstas pueden tener un valor diagnóstico.

Lo que valoramos, a nivel psicológico, son los cambios.

Imaginemos un niño, Quique, que hasta ahora había dormido siempre como un lirón y que de repente empie-

AUTOVALORACIÓN DE ACTITUDES DE LOS PADRES

	Autoritario	Normal	Permisivo	
– Nivel de autoridad				– Es importante que los padres coincidan en la mayoría de los aspectos.
– involucración en la tarea educativa	Total	Normal	Nula	
– Apoyo mutuo	Siempre	A veces	Nunca	– Si no es así hay que ajustarlo. No podemos poner manos a la obra si sólo coincidimos en un punto.
– Opiniones divergentes	En todo	En algunas cosas	En nada	
– Nivel de responsabilidad	Alta	Normal	Baja	→ Hay que REPLANTEARSE LOS OBJETIVOS EDUCATIVOS
– Nivel de cariño o estima	Incondicional	Lo raciona	Con condiciones	

za a despertarse por la noche angustiado, con unas pesadillas horribles. Lo primero que se han de plantear los padres es ¿qué ha pasado?, ¿qué es lo que ha ocurrido que pueda generar preocupación en el niño? Seguramente, se trata de algo que pasa desapercibido para los mayores. Pueden ser infinidad de cosas, dependiendo de la edad del niño, cualquier cambio que afecte a su rutina diaria, el comienzo del colegio o bien el paso de la guardería a la escuela, un cambio de casa, el nacimiento de un hermanito, la muerte de un abuelito, que su mejor amigo ya no lo sea tanto... algo que a él le afecta.

A continuación, reseñamos algunos signos de alerta por los que merece la pena preocuparse y que pueden ser señal de que algo no va bien en nuestro hijo:

Insomnio. Tanto la dificultad para conciliar el sueño como los continuos despertares nos indican un estado de ansiedad. El niño no es consciente de lo que le pasa y su sueño se ve resentido. Normalmente, los niños que nunca han dormido bien, presentan en su carácter un componente de ansiedad latente. Sin embargo, ahora nos estamos refiriendo a una situación reactiva: el niño se ve afectado por alguna circunstancia de su entorno que repercute en la calidad del sueño, hasta ahora normal. La duración de este período nos marcará la profundidad del conflicto. El sueño es uno de los aspectos fisiológicos que se ve seriamente afectado cuando la situación externa conflictiva está empezando a alterar el equilibrio psicológico del niño.

Pesadillas. La repetición diaria del mismo contenido onírico indica un conflicto latente altamente reprimido. Las pesadillas son un trastorno más elaborado, pero también más concreto, cuya solución, la mayoría de las veces, resulta mucho más sencilla de lo que parece. Se trata de acabar el sueño, darle un final. Lo que realmente nos angustia de un sueño es que nos despertamos a la mitad de éste y no sabemos cómo va a terminar, por eso lo soñamos una y otra vez. Así que cuando lo finalizamos, acabamos con la angustia que nos produce y entonces desaparece de un día para otro. Pongamos un ejemplo. Edu lleva una temporada soñando de forma repetitiva que lo persigue un bicho grande, una especie de dinosaurio o dragón, y siempre se despierta en el mismo momento, cuando está a punto de atraparlo. Así que la solución es sentarte con él en un momento de tranquilidad y decirle que vais a acabar el sueño juntos: él empieza y tú le das el final. Un final creíble, que acabe bien y que él acepte. Una posibilidad sería que detrás del dragón aparece una especie de supermán con poderes mágicos, como Harry Potter, que, en el momento álgido, hace desaparecer al dragón y lo convierte en cenizas. De este modo, desaparece la incertidumbre y se cierra el ciclo. El niño se tranquiliza y lo más seguro es que ya no vuelva a tener esa pesadilla. Lo que no quita que intentemos averiguar qué es lo que ha ocasionado esa situación de angustia o preocupación, y el método, como ya empezáis a saber, no pasa por hacerle un interrogatorio de tercer grado sino por observar y anotar en el cuaderno todo aquello que nos parezca relevante.

Enuresis. Éste es un trastorno muy relevante como síntoma externo de otros problemas afectivos. Cuando un niño ha superado correctamente la fase del control de esfínteres y de repente con 7 o más años empieza a tener episodios en los que moja las sábanas, hemos de tener clarísimo que no es un problema físico, sino psicológico. Algo está afectando al niño y su cuerpo lo transmite como una señal de alarma. Es una forma inconsciente de exteriorizar su ansiedad hacia algo que le preocupa. En estos casos, obviamente los tratamientos sintomáticos no funcionan, porque no se trata de un problema orgánico. Cuando un niño tiene una dificultad física para controlar los esfínteres presenta constantemente este problema. La solución a esta situación, en este caso, pasa por diagnosticar cuál es la causa psicológica que origina este trastorno. En la mayoría de los casos se suelen encontrar dificultades para independizarse de los cuidados maternos, asociados al síndrome de Peter Pan, que trataremos en la página 191.

Desórdenes alimentarios. Imaginemos una niña que tenía unos hábitos alimentarios adecuados para su edad y nunca había presentado síntomas ni de inapetencia ni de glotonería. De forma aislada empieza a presentar conductas o bien de evitación de la comida, «no tengo hambre», o de atracones de golosinas. Este tipo de desórdenes nos indica que hay un aumento considerable de la ansiedad y el único recurso al que sabe recurrir esta niña es a calmarla mediante la ingestión compulsiva.

Recordemos que determinados alimentos tienen un efecto ansiolítico: el más conocido es el chocolate. Con estas alteraciones hay que tener cuidado, porque según cómo se traten pueden derivar en trastornos serios y con graves consecuencias, como son la anorexia y la bulimia. Se ha de ir con mucho cuidado con los comentarios que se hacen a veces de modo inconsciente y que pueden hacer mella en la autoestima del niño que los está padeciendo. Así como la enuresis se presenta en casi el doble de casos de niños que de niñas, con los desórdenes alimentarios ocurre a la inversa.

Trastornos conductuales. Empieza a plantar cara, se vuelve descarado cuando hasta el momento ha sido un niño dócil. Éste es un signo de alerta complicado, porque no es tan evidente como los anteriores y además no distorsiona la vida familiar, aunque sí puede alterar la dinámica y crear «mal rollo» entre los componentes de la familia. En este apartado podemos encontrar un amplio espectro de comportamientos, pero lo más importante y lo que consideramos un signo de alerta es el cambio que se produce en su línea de comportamiento habitual. Es indiferente el sentido del cambio, tanto nos da que hasta ahora haya sido un niño tremendo, revoltoso... y se haya vuelto tranquilo o pasivo, como que un niño dócil pase a comportarse como un vándalo. Las provocaciones tanto activas como pasivas no dejan de serlo. La inhibición de la reacción, aunque pasiva, es también un cambio de comportamiento, e indica una manera de plantar cara a una situación que no aceptamos o es difícil de aceptar.

Juega siempre solo. Prescinde de sus amigos y prefiere aislarse en su mundo. Ésta es una conducta rara para un niño y representa otra modalidad de inhibición, en la que por algún motivo externo se renuncia a la interacción social. Por miedo o inseguridad, temor a no ser aceptado, el niño rehúye el contacto con otros niños y prefiere jugar solo.

Su rendimiento ha decaído. Está siempre cansado, muestra apatía ante todo, resulta difícil que se entusiasme por nada. Este cambio resulta muy preocupante, porque afecta a su estado anímico. En un niño esta situación no es nada habitual y por ello cobra una mayor dimensión como signo de alerta.

Cuando se nos juntan varios de estos problemas que hemos denominado signos de alerta el problema puede ser grave. Si ante una situación traumática el niño presenta alguno de estos signos hay que acudir al especialista o psicólogo para que nos eche una mano. Una útil herramienta que nos puede ayudar a salir de dudas son los dibujos. Pedidles, como si fuera para un concurso de la radio o del trabajo que os hagan tres dibujos: un **árbol**, una **casa** y una **familia**. A partir de la información que nos den podremos descartar diferentes situaciones. Para poder descifrar el significado de los dibujos hemos elaborado unos gráficos que os permitirán, combinando las tendencias presentes en las diferentes reproducciones gráficas, tener una idea de por dónde van los tiros. Si no observamos ningún rasgo negativo, podemos estar tranquilos: aún no se nos ha

SIGNIFICADO DE LOS DIBUJOS

Elemento gráfico	Característica		Rasgos del carácter
• Trazo	Muy débil	→	Inhibición
	Muy fuerte	→	Agresividad
• Líneas	Puntiagudas	→	Rabia, impulsividad
	Curvas	→	Armonía, amabilidad
• Colorido	Suave: colores secundarios	→	Equilibrio, estabilidad
	Contrastado: colores primarios	→	Altibajos, impulsividad
	Predominio del negro o colores oscuros	→	Depresión, tristeza, pesimismo
• Ubicación en el espacio	Situado a la izquierda del papel	→	Inhibición
	Ocupa todo el espacio disponible	→	Extroversión
	Sólo situado a la derecha	→	Llamar la atención
	Ocupa la mínima expresión	→	Introversión

* Se han de combinar todos los elementos y observar qué tendencia predomina.

CONTENIDOS DE LOS DIBUJOS

Elemento gráfico	Características relevantes de los dibujos		Significado psicológico
• Dibujo del árbol	Árbol muerto, sin hojas, con muchas ramas	→	Inhibición, tristeza
	Árbol con raíces	→	Necesidad de protección
	Árbol fornido con frutos	→	Creatividad, imaginación, iniciativa
• Dibujo de la casa	Casa con puertas y ventanas cerradas	→	Gran introversión
	Casa esquemática, infantil	→	Regresión
	Casa abierta con detalles, flores en las ventanas	→	Extroversión y sensibilidad
• Dibujo de la familia	Omisión de algún miembro de la familia o del que dibuja	→	Problema de comunicación
			No se siente integrado en la familia
	Evita dibujar su familia, dibuja monigotes ♀ o animales	→	Serias dificultades para aceptar a su familia: le produce rechazo
	Dibuja su propia familia con todo tipo de detalles	→	Relación familiar productiva

escapado de las manos la situación. Si detectáis alguno, ¡ojo avizor!, y si son demasiados no dejéis pasar ni un solo día sin buscar una solución.

Ahora ya sabemos la teoría, pasemos a la práctica: ¡Manos a la obra!

Primera infancia, de 0 a los 3 años

Las conductas más habituales y cómo enfrentarnos a ellas

Esta primera etapa de la vida del niño es la más difícil para los padres puesto que se presenta una multitud de situaciones nuevas, a menudo complicadas, en las que deberemos poner a prueba todo nuestro ingenio. Este período de la vida del bebé es fundamental, puesto que en estos primeros tres años se sientan las bases tanto de su personalidad como de su desarrollo neurológico e intelectual. Dependiendo de cómo lo estimulemos y enseñemos a desarrollar su potencial, el niño trabajará al 30, 60 o 90 % de la capacidad de su cerebro.

Tanto los padres primerizos como los que no lo son han de tener en cuenta que cada hijo es diferente y que cada uno de ellos supone un reto educativo que pone a prueba nuestra paciencia y nuestras habilidades. Es en estos primeros tres años de vida cuando se sientan las bases o precedentes educativos de la vida del niño, por este motivo incidiremos en este apartado/capítulo, que es algo más extenso.

Cuáles son las características que definen la personalidad de un niño de esta edad

La personalidad es una de las características más relevantes a la hora de decidir cuál va a ser nuestra estrategia educadora. No es lo mismo enfrentarse a un bebé dócil que a uno movido o rebelde.

A la mayoría de padres, cuando les ponen a su bebé recién nacido entre los brazos, les asaltan un montón de dudas: a quién se parece, qué carácter habrá heredado, ¿sabré desempeñar mi papel de padre?, no es como yo me imaginaba... Todas las fantasías desarrolladas durante el embarazo chocan con la realidad y hay que empezar a adaptarse. El cambio de vida que se produce con la paternidad/maternidad es abismal, cambia la perspectiva vital, las responsabilidades y la manera de vivir y, aunque es un proceso natural, requiere algunos pequeños sacrificios y renuncias. Podríamos definir dos situaciones contrapuestas, quizá las más representativas.

Situación A: Guille es un bebé con carácter, que demuestra con sus constantes lloros. Tiene completamente desconcertados a sus papás, que se esperaban una idílica estampa de familia feliz. Además este cuadro se completa con alguna dificultad para comer y serios problemas para ponerlo a dormir.

Situación B: Dani es un recién nacido tranquilo, que apenas llora, come sin problemas y se duerme con facilidad.

Como podemos comprobar, estas dos situaciones son completamente opuestas y generan dos tipos de comportamientos diferentes por parte de los padres. Ambos, tanto padres como hijos, son novatos en esta relación y es la interacción que se establece la que marca las pautas de las conductas siguientes. Con esto, queremos decir que los papás de Guille vivirán la experiencia de tener un hijo de una manera, «tener un hijo es agotador, no tenemos tiempo para nada y oímos constantemente sus lloros», que no tendrá nada que ver con la de los papás de Dani: «Nuestro hijo es un encanto y estamos pensando en darle un hermanito». De la misma manera, si pudiéramos saber lo que piensan sus retoños, Guille diría: «Qué nerviosos están mis papás, parece que no me entienden». Por el contrario, Dani estaría encantado con sus padres y pensaría que son estupendos y que están contentos con él.

Una cosa nos tiene que quedar clara: el bebé no llora para fastidiarnos; es su manera de comunicarse. Lo que hay que hacer es aprender a interpretar su llanto y observarlo para averiguar cómo hay que tratarlo.

Su llanto no siempre es igual:
- **Hambre: insistente, urgente, agudo.**
- **Sueño: quejido intermitente y ronco.**
- **Dolor: gritos agudos, cortos y continuados con la respiración entrecortada.**

También es básico intentar ponernos en su piel. A menudo pretendemos que nuestro bebé funcione como un reloj, que tenga hambre cuando toca, que se duerma automáticamente cuando lo ponemos en la cuna, que cada día coma exactamente toda su ración, que al ponerlo en el orinal haga pipí... Pero hemos de tener en cuenta que no es un muñeco a pilas, sino un ser vivo que al nacer no sabe nada, apenas ve y todo es nuevo para él, se siente solo, tiene hambre, frío... y necesita un tiempo para ir aprendiendo cómo funcionan las cosas por aquí fuera.

Buscando parecidos, hemos de evitar pensar –y, sobre todo, decir– aquello de «tu madre dice que tú eras igual de llorón, que tu hija se parece a ti». Es decir, lo bueno es mío y lo malo, de la otra familia. Porque, evidentemente, el carácter se hereda, pero vuestro hijo es único y vosotros con vuestro esfuerzo educativo lo moldearéis según vuestros criterios. Así que no vale la pena quejarse, sino implicarse lo antes posible en esa maravillosa tarea que tenéis la suerte de poder desempeñar.

La ilusión es el gran motor que lleva a una pareja a tener un hijo y a menudo con el primero se sufre una importante decepción al comprobar que no es todo tan bonito como parecía. Es sacrificado, cambia completamente tu vida y tus esquemas, dejas de ser el centro de atención; ya no sois dos, el uno para el otro, ahora toda vuestra atención y esfuerzos los focaliza el bebé. Y está claro que este gran cambio precisa un proceso de adaptación. Pero hay que tomárselo con tranquilidad, todo pasa; son distintas etapas que hay que ir asimilando, sin perder la ilusión que os llevó a compartir este gran proyecto de traer un hijo al mundo.

No todos los bebés son iguales. Como ya hemos comentado con anterioridad existen varios tipos y es importante identificarlos para saber cómo hemos de reaccionar ante ellos. Es en los primeros meses de vida cuando los bebés muestran claramente las tendencias iniciales de su carácter, que se mantiene estable hasta los 3 años, edad en la que se empiezan a notar los primeros efectos de la educación. Para averiguar ante qué tipo de bebé estamos, sólo hay que observarlos. El tono muscular es su «talón de Aquiles» ya que delata muchos de los rasgos que caracterizan su personalidad: los niños muy nerviosos están siempre tensos, con el cuerpo rígido y los puños cerrados, mientras que los tranquilos son mucho más flexibles y se suelen dormir con las palmas de las manos abiertas. No hay que dejarse llevar por las primeras impresiones. Los niños, igual que los adultos, pueden comportarse de forma diferente cuando las circunstancias también lo son. Hay niños muy curiosos y movidos que cuando los llevamos a casa de unos amigos no quieren despegarse de las faldas de mamá, y otros extravertidos y locuaces que ante la presencia de desconocidos no abren la boca y parecen tímidos y remilgados.

Hipertónico: no para quieto

Debido a su elevado tono muscular es un niño que no sabe estarse quieto: trepa, se arrastra y se escapa de cualquier sitio. Y nunca le encontrarás en la posición en la que le has dejado: si está en el parque, escalará por la redecilla; si le dejas en tu cama de matrimonio reptará de una a otra punta, moviendo manos y pies, como si nadara, aunque sólo tenga una semana de vida. Si lo sentáis en una trona es capaz de tirarse al suelo. Pero no hay que alarmarse: si se le vigila constantemente no hay peligro. Este tipo de niños son muy aventureros y extravertidos, y el día se les hace corto para su curiosidad. Duermen poco y les cuesta bastante conciliar el sueño. No les gustan demasiado los cambios porque se sienten desconcertados y se descontrolan. Para conseguir que un bebé de estas características se sienta tranquilo y calmado es conveniente establecer los hábitos diarios dentro de un marco lo más rutinario posible: horarios fijos, ambiente relajado, estímulos suaves, etc.

Nervioso: se irrita por todo

Son bebés poco flexibles, que al cogerlos en brazos ofrecen resistencia a doblarse. Lloran mucho, y cuando lo hacen, se ponen muy rojos, rígidos y tardan mucho en reaccionar y mucho más en calmarse. En ninguna posición se encuentran cómodos y se irritan con suma facilidad. Suelen protestar a menudo y son muy tozudos. Pero no todo son desventajas: se adaptan mejor a los cambios y es más fácil darles la vuelta y que acepten alternativas. La mejor estrategia es distraerlos o cambiar de actividad en cuanto se ponen tozudos.

Equilibrado: se queja lo justo

Es lo que llamaríamos un bebé ideal. Protesta cuando algo no le gusta pero se conforma fácilmente. Duerme siempre con las manos abiertas y lo hace en cualquier sitio. Lo único que lo altera son los ruidos, y si tiene hambre, llora, pero en cuanto atendemos sus necesidades se tranquiliza.

Tranquilo: no se altera por nada

Su comportamiento es muy estable, pocas cosas lo alteran, no llora casi nunca, suele estar relajado y da pocos problemas. De hecho podría pasarse el día durmiendo ya que a menudo hay que despertarlo para darle de comer. Los bebés tranquilos son algo pasivos y hay que estimularles para que se muevan y aumenten su tonicidad muscular. Sin darnos cuenta, es fácil que un bebé de estas características se pase el día de la cuna al cochecito y de éste al «maxicosi». Ya que apenas protesta, no caigamos en el error de no dejarlo a sus anchas para que pueda iniciarse en el gateo.

Hipotónico: progresa despacio. Más que llorar, protesta, pero poco

Su tono muscular es flojo y el desarrollo psicomotriz va más lento. Le cuesta aguantar la cabeza y es un poco patoso, pero nada que un buen programa de estimulación precoz no pueda solucionar.

Una vez identificado tu bebé, te será más fácil saber cómo tratarlo.

Aprendizaje conductual

El bebé desde que nace empieza a aprender, para él todo es nuevo y su cerebro es como un ordenador que lo va registrando todo. Primero todo es casualidad: el recién nacido llora, porque es el único lenguaje que conoce, y la mamá acude rápidamente para averiguar qué le ocurre. Esta primera reacción sienta precedente: el bebé *ya* ha aprendido que, cuando quiere llamar la atención de su mamá, ha de llorar. A partir de aquí, se van encadenando las acciones del niño con las reacciones que se originan en sus padres.

Laia descubrió, cuando tenía un añito, que cuando vomitaba organizaba un gran jaleo en su familia; su madre se alteraba, para su abuela era casi un drama y el padre no sabía qué hacer. Así que aprendió a provocarse el vómito cada vez que quería que la cogieran en brazos.

A veces es difícil distinguir cuándo tienen un problema real de cuándo simplemente quieren conseguir algún mimo. Lo que más fácil o más rápido aprenden son las reacciones emocionales.

Así que no lo dudéis ni un instante: vuestro hijo, por pequeño que sea, capta tanto los sentimientos como las emociones que originan las distintas reacciones o

Los bebés registran e interpretan las emociones y sentimientos a las mil maravillas. Es algo que los adultos parece que hemos olvidado, pero, sorprendentemente, un niño detecta de inmediato si su madre está nerviosa, agotada, triste o alegre, simplemente por la manera de cogerle, el tono de su voz o el olor de las hormonas que se desprenden con los diversos cambios de humor.

actitudes de sus padres, y actúa en consecuencia. Se trata, pues, de contagiarle alegría y energía positiva.

Su aprendizaje se basa en el esquema Acción-Reacción o Estímulo-Respuesta.

Es decir: aprenden lo que viene detrás. Si siempre antes de comer se le pone el babero, en cuanto vea el babero sabrá que le toca comer. Por eso son tan importantes la rutina y los hábitos en los primeros contactos con la nueva realidad que está descubriendo. Son su método de aprendizaje, su reloj; le sirven para orientarse en el tiempo y eso le da seguridad. Sabe lo que le toca hacer. A nivel mental le confiere unas coordenadas de orientación espacio-temporales, necesarias para su estimulación intelectual. Los niños de esta edad tienen los reflejos a flor de piel, son extremadamente

CUADRO DE REACCIONES: Niños de 0-3 años

Nombre:_____

Estímulo		Reacción hijo
• Dormir solo		Llora
• Adiós chupete		Desesperación
• Olvídate del pañal		Pataleta
• Obedecer a la primera. Dejar de llorar		Resistencia
• Del biberón a la cuchara		No acepta

_____ Edad: _____

Valoración	Reacción padres	Valoración
	Enfado	↓ ko
	Indiferencia	↑ ok
	Comprensión	↑ ok
	Sermón	↓ ko
	Paciencia	↑ ok

sensibles y aprenden rapidísimamente. Así que es mejor que los padres no nos durmamos en los laureles.

Los tres primeros años de la vida de un niño son los más alucinantes por la cantidad de cambios y aprendizajes que tienen lugar, pero, en contrapartida, son los más absorbentes en tiempo y energía. Para los que ponen todo su esfuerzo, los padres, parece que no se acaba nunca y cuesta ver lo que el niño aprende día a día. Primero, porque, como no hablan, a los adultos nos es más difícil comunicarnos y saber qué está pasando por su cabecita; segundo, porque suelen hacer lo contrario de lo que esperamos de ellos. Pero es que los pequeños no nacen sabiendo lo que esperan sus papás que hagan en cada momento. Lo tienen que aprender todo.

El cerebro del bebé trabaja sin parar, asimilando y guardando información. El nacimiento de la inteligencia se apoya, durante estos tres primeros años de vida, en el área sensorial y motriz. El bebé no piensa con palabras, porque no sabe, sino que elabora conceptos a través de lo que siente y experimenta mediante el movimiento y los sentidos (vista, oído, olfato, tacto y gusto).

El pequeño vive en su piel lo que es arriba, abajo, cerca, lejos, pronto, tarde... ¿Cómo? Al no tener autonomía de movimiento lo consigue mediante los tiempos de espera; hasta que lo coges y le das de comer o lo masajeas o le das volteretas, en la piscina o con la estimulación acuática, casi imprescindible para elaborar un estupendo esquema corporal-mental. ¿Os habéis parado a pensar que si el bebé nace en invierno puede que no reciba ningún estímulo sensorial del dedo meñique del pie, porque, como va completamente vestido y tapado, nadie se lo toca y, por tanto, no tiene conciencia de que aquel dedo es suyo y forma parte de su cuerpo? Por eso son importantes los masajes y la bañera, para que el bebé reciba información desde todas las partes de su cuerpo y vaya elaborando una imagen mental de su propio cuerpo que le sirva para desarrollarse en el espacio.

Es necesario darles la oportunidad de que exploren el espacio, estén en el suelo y aprendan a moverse. Un bebé que está todo el día en la sillita, la trona, el parque, la cuna o la silla del coche y apenas tiene libertad de movimientos tendrá dificultades a la hora de elaborar los conceptos espacio-temporales mentales, porque no los habrá experimentado.

El paso al pensamiento, tal como lo conocemos los adultos, se realiza con la aparición del lenguaje. Los niños que han adquirido experiencias previas multisensoriales y motrices simplemente han de poner etiquetas a los conceptos adquiridos. Pero, para los que no han aprovechado esa oportunidad, el trabajo es doble, empiezan dos años más tarde a poner ladrillos, sin cimientos de soporte que sustenten el aprendizaje, con lo que el edificio intelectual que están construyendo es muy frágil.

Pataletas, rabietas, lloros incontrolados...
Cómo controlar esas situaciones

Es normal que los niños planteen situaciones conflictivas porque es su modo de conocerse y de poner a prueba el mundo que les rodea. Somos los padres los que tenemos que estar por encima de sus rabietas y educar con el ejemplo. Pensemos que ellos a esa edad, nos imitan. Si cuando nos enfadamos les chillamos, no nos extrañe que cuando a ellos les decimos que no a algo, también chillen. Si para evitar que hagan algo actuamos con agresividad hacia ellos, ellos nos la devolverán con creces.

Es difícil dar recetas prácticas que sirvan para todos los casos, pero aquí van algunas de las que hemos probado en diferentes ocasiones y con distintos niños y los resultados han sido sorprendentes. ¡Atreveos y probadlo!

Cómo reaccionar ante una mala conducta

Entre su primer y segundo año de vida, los críos son unos pequeños gamberretes dispuestos a todo para sacarnos de nuestras casillas. Y puesto que hemos de regañarles, mejor hacerlo con gracia. Mantén la calma, utiliza el sentido común y echa mano de las sugerencias que te proponemos.

Clara nos comentaba sus experiencias como madre: «Cuando estaba embarazada me fijaba mucho en cómo otros padres educaban a sus hijos. Me resultaba muy fácil criticarlos y, cómo no, pensar aquello de "eso yo no lo permitiría". Ahora mi niña tiene 14 meses y me doy cuenta de lo difícil que resulta poner límites. Me pasaría el día diciéndole "eso no se toca, eso no lo hagas...". No sé muy bien cuándo reñirla y cuándo darle un beso para atajar algún caprichoso lloriqueo. Supongo que eso les pasará a todas las mamás».

> **No utilicéis el miedo para atajar conductas no deseadas. El miedo es una solución eficaz e inmediata, pero acaba haciendo al niño demasiado temeroso e impedirá que desarrolle con libertad y valentía sus actividades.**

Las dudas de Clara son las mismas que asaltan a la mayoría de padres, sobre todo a los primerizos. El cuidado y la alimentación de los hijos son dos de las grandes responsabilidades de los progenitores. Pero también lo es la educación, un apartado si cabe más difícil porque no existen dosis exactas, ni medicinas milagrosas ni tratados infalibles. Del mismo modo que las caricias y los mimos fluyen con toda naturalidad, no ocurre lo mismo con las regañinas. Es más fácil mimar que educar. Pocas cosas tenemos claras en este aspecto. ¿Es necesaria una disciplina en la educación de nuestros hijos? ¿Se debe ser estricto o permisivo? ¿Qué tipo de castigos son los más aconsejables?

Éstas son preguntas frecuentes en las consultas de psicología. Obviamente, cada uno responde muchas veces en función de las experiencias que ha tenido de pequeño. Es muy probable que alguien que haya tenido una educación muy restrictiva sea muy permisivo con sus hijos para que no pasen por lo que esa persona ha vivido y viceversa.

Las constantes provocaciones de los niños no llevan mala intención. Ellos sólo nos ponen a prueba para saber hasta dónde pueden llegar. Por eso, el establecimiento de unas normas de conducta es fundamental para que el niño aprenda a vivir en sociedad. Hay que tener en cuenta que, a esa edad, su sistema comunicativo es muy diferente del nuestro. Nosotros hablamos y hablamos, pero de nuestro sermón ellos sólo entienden los gestos que acompañan a las palabras. La mímica, por lo tanto, ha de ser nuestra principal herramienta de comunicación.

Es importante que los padres no discutan las normas delante del niño para evitar su desconcierto. Deben pactar de antemano, por ejemplo, que no se le castiga si salta encima del sofá, pero sí si llama tonta a mamá. Por supuesto, hay que obligarle a respetar las normas en todo momento, independientemente de si hay visita o está cansado.

Los niños son arcilla que hay que moldear; nuestros criterios y normas son la paleta que nos ayudará a darle forma.

El exceso de normas o prohibiciones puede desalentar al niño y hacer que no acepte ninguna de ellas. Por el contrario, la permisividad excesiva hace que, al no conocer el niño ningún límite, no pueda convivir en armonía.

¿Cómo llegar al equilibrio? En niños de entre 1 y 2 años, e incluso hasta los 4, hay que permitirle explorar su entorno eliminando en lo posible los peligros evidentes y apartando aquellos objetos que realmente no quieres que toque. De esta manera, evitarás tener que decirle mil veces que ¡no! Es mejor anticiparse a los acontecimientos y prevenir las conductas conflictivas que interrumpirlas.

Como norma general, da mejores resultados evitar las situaciones conflictivas. Por ejemplo: no se os ocurra ir el sábado por la tarde al hipermercado con el niño de 2 años, porque tenéis todos los puntos para que se desencadene alguna pataleta. Repartiros y que uno vaya al parque con el pequeño mientras el otro compra. En el caso de que se desencadene la «crisis», actuad con mucha calma, coged al niño, salid fuera del centro comercial, y en el coche o en un lavabo actuad de la misma manera que haríais en casa. Dejadle apartado, con total indiferencia, hasta que se le pase la rabieta.

¿Cómo actuar ante una pataleta?

1.º Coger al niño y apartarlo del lugar donde esté montando el escándalo.

2.º Elegir un lugar neutro (pasillo, recibidor...), que no sea ni su habitación ni el baño, para que lo identifique como el «lugar de pensar» y para calmarse.

3.º Dejar al niño en el lugar elegido no más de cinco minutos, solo, y luego decirle algo así como: «Ya sabemos que lo has hecho sin querer, pero como los papás te quieren mucho te han de enseñar a portarte bien, y cuando te calmes saldrás y hablaremos».

4.º Cuando la intensidad del lloro disminuya, entrar y ayudarle a pedir perdón: «Venga, cariño, no lo volverás a hacer, ¿verdad?». Vosotros le decís las palabras y el niño el gesto.

Si lo hacéis siempre en el mismo orden, con la misma calma, paciencia e indiferencia, estéis donde estéis, veréis cómo gradualmente las pataletas van desapareciendo.

Es fundamental evitar que el niño consiga el propósito de la pataleta, ya que si para que se calle le compramos o accedemos a lo que nos pide, aprenderá que para conseguir lo que desea «ha de montar un numerito».

Cómo conseguir que aprendan hábitos de higiene, a dormir solos, a obedecer a la primera... El camino hacia la independencia

Lo que primero nos hemos de plantear es que todas las necesidades básicas del bebé, aunque sean fisiológicas, las han de aprender como un hábito; es decir, tienen que aprender a regular sus funciones vitales. Los niños no nacen sabiendo y si no les enseñamos, no van a comer, dormir, vestirse o ir al lavabo espontáneamente.

A nadie se le ocurre que cuando el niño empieza a comer sus primeras papillas, un día le demos de comer en el lavabo, otro en el salón, otro mientras va en el cochecito... y un día lo hagamos con las manos, otro con palillos y otro en el suelo. Siempre lo hacemos de la misma forma. Cada uno establece su propio ritual, pero solemos ayudarnos de una serie de elementos externos que hacen que el niño vaya identificando la situación. Lo sentamos en la trona, en la cocina, le ponemos el babero y la comida en un plato. A medida que van pasando los días, cuando el niño ve el babero ya sabe que va a comer y su estómago va preparándose. De la misma forma hemos de actuar cuando va a dormir, a hacer pipí o cuando lo llevamos a la guardería: con la seguridad de saber que hacemos lo correcto. Todos sabemos que los primeros días de guardería, lloran y no quieren separarse de mamá. Pero aun así, lo seguimos llevando hasta que se acostumbra y deja de llorar. Y lo hacemos con cariño, paciencia y mucha seguridad.

A menudo nos desconciertan sus reacciones, los padres esperamos que caigan rendidos de sueño después de una jornada agotadora en la que los hemos llevado al parque, hemos jugado con ellos... y, sin embargo, ellos quieren más: un cuento, un vaso de agua, una guerra de almohadas. Sus ganas de jugar parecen no tener fin, y que no se les acaben las pilas nunca.

A veces los padres quisieran tener un mando a distancia y desconectar al hijo a determinada hora. Pero lo que desconocen es que el niño intuye cuál es el límite de sus padres, y lo apura al máximo. Sabe a quién le puede tomar el pelo. Algo que podéis comprobar muy fácilmente cuando una noche, desesperados, dejáis el niño en casa de los abuelos... ¡Ah!, y a la mañana siguiente resulta que el niño ha dormido de un tirón sin más problemas. «¿Qué pasa? ¿Por qué nosotros no pudimos conseguirlo?», os preguntáis. La respuesta es muy sencilla: no habíais plantado cara a la situación, no sabíais qué pasaba, ni qué habíais de hacer.

Lo primero es aplicar el método, coger un lápiz y el cuaderno de anotaciones y ponerse manos a la obra. Hay que establecer unos límites muy claros y sencillos para que el niño aprenda lo que le toca hacer, y observar y anotar sus características de comportamiento.

Paso a paso para que aprendan a dormir solos

Conseguir que asocie el sueño con su cama. El niño no se puede dormir un día en el salón, otro en la cama de los papás, otro en el cochecito...

No tiene que salir de la habitación. Hay que generar la suficiente confianza para que no se mueva de la cama y espere a que nosotros entremos tres veces en un intervalo de media hora, con diferentes excusas: *a*) me voy a poner el pijama y ahora vuelvo, *b*) voy a buscar las zapatillas y enseguida estoy contigo, *c*) te traigo tu muñeco ahora mismo. Y cumplirlo a rajatabla. Conseguiremos, si somos firmes y no cedemos, que el niño confíe en nosotros, lo que le ayudará a relajarse y conciliar el sueño. Paulatinamente iremos alargando el intervalo entre las entradas, de manera que a la segunda ya lo encontremos dormido. Pero, para que funcione, ha de haber un cambio de actitud previo por parte de los padres y ser muy rutinarios. Hacer lo mismo cada día.

Para conseguir que aprendan cualquier otra rutina

Hemos de utilizar la tabla de incentivos, a partir de los 2-3 años, dependiendo de la madurez del niño. No hay que olvidar que no hay puntos negativos. En las casillas de cada día pondremos la pegatina correspondiente si lo ha hecho bien, pero si no, sencillamente, no habrá ninguna pegatina. Según la dificultad del objetivo marcaremos el número de pegatinas necesarias para obte-

GRÁFICA DE INCENTIVOS CONDUCTUALES (0-3 años)

• Ir a la cama								
• Control del pipí								
• Aseo personal								
• Comer solo								
• Vestirse solo								
• Recoger								

ner su recompensa o incentivo y se lo dibujaremos, o pegaremos una foto al lado de la tabla.

Es muy importante que los incentivos no sean materiales, puesto que tienen poco poder de motivación. Cuando el niño ha conseguido lo que quería, ya ni se vuelve a acordar y lo amontona con otros tantos juguetes. Sin embargo, si las recompensas que obtiene por cumplir los objetivos marcados con los pictogramas son vinculantes, le quedará marcado para siempre. Podemos organizarle una pequeña fiesta con sus amigos, porque ya es mayor. O llevarlo una tarde a un parque de juegos o de atracciones.

Cada mes podemos plantear diferentes objetivos y variar los distintos incentivos

Veamos cómo sería con otro hábito como el vestirse. Para un niño pequeño realizar una orden compleja como ésta es difícil; a menudo tardan porque no saben por dónde empezar, y les cuesta decidir. Es necesario segmentarlo en una secuencia de acciones más pequeñas para ayudarlo a que sepa qué hacer en cada momento y pueda concentrarse debidamente.

- Vestirse = la ropa interior + ponerse los calcetines + el pantalón + el jersey
- Debemos también elegir un orden y seguirlo siempre de la misma forma para que el niño pueda automatizar este hábito:
  - Preparar lo que se va a poner la noche anterior.

- Pactar qué días lo elige el niño y qué días los papás.
- Levantarnos con tiempo suficiente para que pueda vestirse solo sin que nos pongamos nerviosos. Si lo hacemos por ellos, les limitamos su independencia.
- Crear una rutina que le ayude a centrarse en una cosa cada vez:
  - Primero: ponerse la ropa interior mientras mamá prepara la mochila.
  - Segundo: ponerse los pantalones y el jersey mientras papá prepara el desayuno.

Utilizamos también en este caso la tabla de incentivos con pictogramas de las diferentes prendas de vestir para que el niño las pueda identificar. Por cada prenda, tendrá una pegatina, y las irá acumulando para obtener el incentivo o recompensa acordado.

Hay que planificar muy bien las estrategias y objetivos que queremos conseguir: cada trimestre plantearos tres objetivos; por ejemplo, irse a dormir solo, vestirse solo y lavarse los dientes. Los incentivos, tal como hemos dicho antes, han de ser adecuados al niño y a su personalidad, para cada hermano diferentes, y aunque sean no materiales es importante que sean reales. Pensad que si consiguen los tres objetivos y luego se quedan sin premio, o tardamos mucho en dárselo, el resultado será tan negativo que luego nos costará el doble poder motivarlos. Pierden su confianza en nosotros, en nuestra palabra y para conseguir que vuelvan a hacer caso, tendrás que trabajártelo mucho, o a veces se les acaba castigando, volviendo a caer en el ciclo negativo. El niño se encerrará en sí mismo y se volverá apático.

Prioridades que hemos de tener. La regla de oro a esta edad es... ¡amor a granel!

Ser buenos padres significa amar e implicarse de verdad por los hijos. El cariño no sólo da al niño un sentido de seguridad, pertenencia y apoyo, sino también allana las dificultades de la niñez. El amor debe ser constante e incondicional –incluso cuando el niño se comporte de manera incorrecta– y nunca dejes pasar la oportunidad de abrazarlo y alabarlo. Decirles cosas agradables cuando no se lo esperan tendrá un efecto duradero. Es muy importante que el niño conozca los sentimientos de sus padres porque su opinión de la vida es importante para él, aunque actúe como si no lo fuera.

Sin embargo, el amor no está reñido con la disciplina. Y, aunque a nosotros nos parezca lo contrario, los niños necesitan desesperadamente que alguien les ponga límites. Eso sí, siempre es mejor utilizar frases positivas y decir «me gustaría que hicieras esto» que «no hagas eso».

Guía de prioridades

Es más importante que se alimente bien que la forma en la que lo haga. Sin embargo hay que enseñarles a

lectual oscilaba ahora entre 90 y 120. Además, su desarrollo emocional era más equilibrado y su personalidad más estable. En un seguimiento posterior, se comprobó cómo los que habían pertenecido al grupo B habían sido capaces de insertarse de una manera adecuada en la sociedad, tenían trabajo y la mayoría habían formado una familia.

Lo que hemos descrito en este ejemplo es una historia real, en la que queda de manifiesto la gran importancia, como motor emocional, del afecto y cariño, y sus efectos sobre el desarrollo intelectual.

El desarrollo del niño ha de llevarse a cabo de forma armónica y equilibrada. No se puede sólo estimular una área en detrimento de otra, o hacerlo de forma desfasada, dando mayor importancia a una que a otra. Así que no vale la pena que inscribamos al niño en un montón de cursillos de estimulación si luego eso no lo va a poder compartir con nosotros, o que le apuntemos a una liga de fútbol si después no vamos a poder ir a verle a ningún partido, o a piano si cuando toca en casa le pedimos que lo deje porque estamos viendo la tele. No nos puede importar sólo que saque las mejores notas en el colegio y nada más. Es como comprarle un montón de juguetes y no tener tiempo para jugar con ellos. El cariño no se compra con juguetes. Para valorar la importancia de la esfera afectiva en el desarrollo integral de los niños, el profesor H. Harlow y sus colegas de la Universidad de Wisconsin, elaboraron un experimento con crías de mono. Diseñaron tres «madres» sustitutivas para albergar y alimentar a las crías. La primera era un muñeco imitando un mono realizado con alambre. La segunda era el mismo muñeco anterior pero recubierto por una toalla. Y la tercera era lo mismo pero recubierto de peluche y en forma de balancín.

Tras unos meses en los que los diferentes monitos eran criados por las madres sustitutas asignadas, se les trasladó a otra jaula común en la que había otros monos que habían sido criados por sus madres verdaderas. Se comprobó que el mono del segundo caso tenía serias dificultades para establecer contactos y se mantenía solo en una esquina. El mono del primer caso intentaba interaccionar pero lo hacía de un modo agresivo. Y el mono del tercer caso establecía conductas de juego similares a las de los otros monos criados con normalidad. Así pues, la hipótesis de que la necesidad de contacto físico como principal transmisor de cariño es primordial para la correcta sociabilidad del niño, queda comprobada con las distintas reacciones de los monos.

Los casos de adopción son también un buen ejemplo de la importancia de crear vínculos afectivos y su repercusión en el desarrollo físico y global. Cuántos niños, asiáticos, de Europa del Este o suramericanos, han dado un cambio espectacular al ser recibidos por unos padres ansiosos de dar cariño de forma incondicional. Cuántos han llegado en pésimas condiciones, desnutridos, casi sin andar, sin comunicarse, rechazando cualquier contacto físico por miedo y tan sólo en un mes de cuidados, mimos y dulzura se les han iluminado los ojos, han empezado a comer, a reírse, a crecer... y a aprender.

La mejor medicina para un niño es una buena dosis de cariño, arrumacos y dedicación. Escúchalos, acompáñalos, comparte tu tiempo con ellos... y todo cambiará.

¿Cómo puede crear tantos problemas un bebé tan pequeño? Las excepciones

Muchas veces los padres llegamos a creer que todo lo que funciona con la mayoría de los niños, con nuestro hijo parece que siempre sale al revés. «¿Tan mal lo hacemos?», pensamos. Por otra parte, estudios recientes están dejando cada vez más claro que los bebés son diferentes ya desde el momento de su nacimiento.

El *New York Longitudinal Study* demostró de forma concluyente que desde la primera infancia existen diferencias significativas de carácter y, últimamente, se ha insistido mucho en los llamados recién nacidos vulnerables.

El doctor Berry Brazelton, entre otros, ha identificado un grupo de bebés «difíciles», que reaccionan siempre mal. Para ayudaros a saber si vuestro bebé se encuentra en este último grupo, podéis realizar un pequeño test, propuesto por el doctor Stanley Turecky[1].

Puntúa del 0 al 3 los siguientes rasgos de carácter:
0 = Sin problemas.

1. Stanley Turecky y Leslie Tonner, *El niño difícil: cómo comprender y tratar a los niños difíciles de educar*, Barcelona, Medici, 1995.

1 = Problema moderado.
2 = Problema evidente.
3 = Problema extremo.

Gran nivel de actividad. Infatigable, inquieto, se cansa de todo, es atolondrado, todo lo hace deprisa, se sobreexcita con facilidad, se enfada con facilidad.

Nivel de distracción. Tiene problemas para concentrarse, se desconecta, no sabe escuchar, se olvida de las órdenes.

Intensidad elevada. El niño es intenso en sus emociones, ya se sienta desgraciado, enfadado o feliz.

Irregularidad. Es un niño impredecible. No es fácil adivinar cuándo tendrá hambre o estará cansado. Con él, tanto la hora de acostarse como la de comer es una batalla. Se despierta varias veces por la noche, cambia de humor repentinamente y sin ninguna causa concreta.

Persistencia negativa. Tozudo. Cuando quiere algo no cesa fácilmente en su empeño, le cuesta dar su brazo a torcer, queda «atrapado» en las situaciones negativas y puede tener rabietas muy largas.

Sensibilidad física muy agudizada. Percibe con mucha intensidad los colores, la luz, el aspecto externo, la textura, el sonido, el olor, el gusto o la temperatura. Es muy creativo, pero con preferencias muy fuertes y poco corrientes, que pueden ser motivo de discusión.

Resistencia inicial. Es tímido y reservado con las personas desconocidas. No le gustan las situaciones nuevas, se mantiene en un segundo plano y protesta llorando o aferrándose a su madre. Puede llegar a tener una rabieta si se le obliga a seguir adelante.

Dificultad de adaptación. Tiene problemas con la transición y el cambio de actividades y de rutinas. Es inflexible, muy especial, se da cuenta de los cambios más mínimos. Le cuesta adaptarse a las cosas nuevas.

Dependiendo de cuántos rasgos de carácter se encuentren en el extremo difícil del espectro y, según el grado de resistencia de los padres, nos encontramos con las siguientes situaciones:

Niño básicamente fácil pero con algunos rasgos difíciles. Esto quiere decir que los padres consiguen salir adelante solos, pero algún consejo práctico no les vendría nada mal.

Niño difícil. El niño es difícil de educar y los padres se encuentran con situaciones de tensión que les desconciertan. Les cuesta salir airosos sin ayuda externa.

Niño muy difícil. Este niño genera situaciones conflictivas en las que se hace imprescindible un manual de instrucciones.

Una vez identificado, si vuestro bebé está en este último grupo no os asustéis: quizá necesitaréis un poco más de paciencia, pero con las pautas adecuadas todo volverá a su cauce. Cuando tenemos entre manos un bebé o un niño de estas características necesitamos una gran fuerza de voluntad y mucho autocontrol, porque normalmente son niños que consiguen sacarnos de nuestras casillas.

Hay que aceptar que no nos ha tocado el bebé soñado, como los de los anuncios, pero que si nos lo trabajamos, lo será. Va a ser un reto constante, pero una vez superada la primera etapa, en la que se sientan los precedentes educativos y, teniendo claro que nosotros no tenemos la culpa, y que no es un niño malcriado, sino difícil de carácter, todo lo demás viene rodado.

Este tipo de niños se suelen bloquear y quedar trabados ante situaciones negativas, tienen un bajo índice de tolerancia a la frustración y, en cuanto se les lleva la contraria, entran en un ciclo vicioso del que no saben salir. Quedan anclados en un punto y si los padres no saben reaccionar a tiempo, la situación se les puede escapar de las manos.

Ante este tipo de conflictos la reacción de los padres debe ser sobre todo planificada de antemano: la improvisación sobre la marcha suele ser mala consejera. Porque, cuando actuamos sin una estrategia previa, podemos dejarnos llevar por nuestro estado de ánimo, cansancio, nervios... y, en lugar de solventar la situación, estropearla.

Una de las premisas básicas en estos casos es siempre la de *evitar* situaciones que ya sabemos de antemano que son conflictivas. Por ejemplo, llevar a un niño de 2 años de estas características de compras a una gran superficie, un sábado por la tarde, tiene asegurado el conflicto. El niño se agobiará por el ruido, la sensación de enclaustramiento, no le dejaréis correr ni coger lo que él quiera, y a la media hora os montará, por cualquier tontería, una pataleta de órdago.

¿Qué podemos hacer en una situación conflictiva?
Intentar distraerlo con algo que llame su atención o apartarlo del lugar donde está montando el número, llevarlo al coche y dejar que se calme solo, antes de volver a entrar.

Hacer caso sólo de los comportamientos relevantes. Ante el resto, indiferencia absoluta y utilizar la tabla de incentivos para lograr que realicen los aprendizajes acordados.

Hay que tener siempre presente que para nosotros no existen negativos, simplemente se queda sin pegatina. Estos niños reaccionan muy mal ante los castigos negativos. El caso siguiente es un claro ejemplo.

Andrés es un niño que desconcierta a su madre constantemente y su padre ya no sabe qué hacer con él. Según el test del doctor Turecky presenta una dificultad de carácter bastante marcada, que afecta directamente al sueño. Tiene muchos problemas para conciliar el sueño y relajarse. Es muy nervioso y cuesta que haga caso. Cuando algo no sale como él quiere, se pone a mil y le cuesta controlarse. En el colegio (ha empezado este año el parvulario) se reprime mucho, porque tiene pánico a hacer el ridículo o a que le llamen la atención. Lo que origina que, cuando llega a casa, se deje ir y suelte su malhumor y negatividad.

Hay que avisarle y prepararle para cada cambio de

actividad. «Andrés, cuando mamá acabe de preparar la cena, te toca ir a la bañera», e intentar no cambiarle el orden de las rutinas porque entonces se pone muy nervioso.

Una anécdota explicada por su padre pone de manifiesto la dificultad de la situación. Cada vez que han de hacer un viaje largo en coche, en el que se le obliga a llevar el cinturón de seguridad, surgen problemas. Andrés no acepta ir atado y no poder moverse a su aire. Es capaz de estar llorando, gritando y pataleando todo el viaje. Probaron varias cosas: primero la madre llevaba las canciones que al niño le gustaban y las escuchaban en el coche, pero eso no daba resultado. Después probaron a llevarle juguetes para que se distrajera, pero todavía era peor porque se le caían y no podía alcanzarlos.

Un día su padre, que ya no aguantaba más esa situación, paró de golpe el coche, bajó, le abrió la puerta y, de forma muy calmada pero muy seriamente, le anunció que lo iba a soltar y que lo dejaba en la carretera, porque no podía viajar en coche de aquella manera. El niño ante la brusca, pero seria y calmada reacción de su padre, se calló de golpe y nunca más ha intentado volver a desatarse el cinturón de seguridad. Éste es un caso en el que una acción improvisada ha dado muy buen resultado, pero antes han tenido que pasar casi tres años de lucha cada vez que se subía al coche.

Por eso, es mejor prevenir que curar. Si sabemos en todo momento lo que tenemos que hacer, nuestras reacciones son más efectivas y no el fruto de la desesperación. La neutralidad es una de las claves para tratar con éxito este tipo de situaciones. Es decir, que hay que mantenerse distante y actuar con la cabeza, racionalmente, sin dejarse llevar por los instintos.

No hay que tomarse nunca como algo personal un mal comportamiento de un niño. Eliminemos pensamientos del tipo «¿por qué me está haciendo esto?», o «¿lo está haciendo expresamente para fastidiarme?».

Hemos de concentrarnos en nuestro objetivo, que no es otro que cambiar los comportamientos difíciles de nuestro hijo. Para ello es necesario que adoptemos un rol parecido al de un profesor que está analizando el tema y adopta una actitud lo más fría posible. Ante un comportamiento problemático, debemos plantearnos las siguientes cuestiones para saber cómo hemos de actuar.

En primer lugar es imprescindible que adoptemos nuestro papel de profesor que analiza un problema y pongamos la distancia y neutralidad necesaria para pensar y evaluar qué tipo de comportamiento tenemos entre manos. Dejemos de lado los motivos y centrémonos en el tipo de comportamiento que nos ocupa: ¿Es temperamental? Si lo es, hemos de actuar con simpatía, evitando el enfrentamiento.

Hemos de buscar el contacto visual y poner en práctica la técnica de etiquetar la conducta y seguir la tabla de incentivos para rutinas o hábitos diarios. Si no es una conducta debida a un rasgo de carácter, sino que es neutra pero relevante, actuaremos de inmediato, con una actitud severa, breve y directa que aparte al niño de dicho comportamiento, manteniendo siempre la misma estrategia.

En estos casos da muy buen resultado utilizar la misma técnica que hemos explicado para solucionar las pataletas en la página 68. Llevarlo a una habitación carente de significado para él, como el recibidor, el pasillo, el despacho o el cuarto de lavar, y dejarlo allí cinco minutos a solas para que recapacite. Pasado ese tiempo, entramos en la habitación y le preguntamos si está dispuesto a hacer las paces y que nosotros ya sabemos que lo ha hecho «sin querer». Y añadir que los papás han de enseñarle lo que se puede y lo que no se puede hacer, porque le quieren mucho y quieren que lo aprenda. Si continúa llorando después de este pequeño discurso se les deja siete minutos de reloj, a ver si disminuye la fuerza del llanto. Después volvemos a entrar, repitiendo el mismo discurso, hasta que consigamos que ceda y entre en razón.

Esta técnica resulta muy eficaz a partir del tercer o cuarto día si se aplica a rajatabla. El niño aprende rápidamente que, cuando los papás dicen algo, eso se cumple de manera inexorable. Y, como comprueba en sus carnes que cada vez que se comporta mal se ve recluido, ignorado y se aburre, se siente impotente... y desiste. Eso no quiere decir que no vaya a volver al ataque con otro tipo de comportamiento, pero el que hemos marcado seguramente no vuelve a aparecer.

Cuanto más pequeño es el niño más espectaculares son los resultados. Obviamente, para aplicar esta técnica, las conductas han de ser relevantes en cuanto a desobediencia por falta de respeto, contestar mal a un adulto, insultos o peleas con puñetazos, patadas, mordiscos, etcétera. No actuaremos de esta manera si se le ocurre hacer una chiquillada, como abrir todos los cajones o poner en funcionamiento la tele.

Qué hacemos con el chupete, el pañal, la inapetencia... ¿Lo podemos coger en brazos? ¿Es bueno que venga a dormir a nuestra cama?...

Hay un montón de situaciones en las que a menudo, como padres, no sabemos qué hacer ni a quién recurrir para saber si actuamos de forma correcta. Déjate llevar por las soluciones que te proponemos en este capítulo y te aseguramos resultados sorprendentes.

¡Adiós querido chupete!

Son muchos los padres que acuden a preguntarnos cuál es la edad idónea para quitarle el chupete a un niño, como si existiera un manual con fechas y normas sobre cuándo, dónde y cómo conseguirlo para hacerlo bien y ser unos padres perfectos. Pero hasta la fecha este manual no existe. En la mayoría de guarderías se informa sobre la necesidad de hacerlo entre los 24 y los 30 meses. En las revistas se advierte de que el chupete puede deformar la dentadura infantil, y parece que si los padres no son capaces de quitárselo a su hijo no son buenos padres. Pues bien, desde el punto de vista psicológico, no es aconsejable desechar el chupete demasiado pronto. Primero es necesario que el niño haya conseguido superar las siguientes etapas:

Se ha adaptado al ritmo de la guardería y a las ausencias maternas.

Duerme toda la noche de un tirón y en la cama grande.

Ha superado y controlado los escapes nocturnos de pipí y duerme sin pañal.

En ese momento estará preparado para decir adiós al chupete, sin traumas ni conflictos posteriores. Como podemos ver, no hay una edad determinada, pues ese momento vendrá dado por el ritmo madurativo del niño. No se trata de imponer o prohibir cualquier tipo de hábito porque toca, sino porque hemos conseguido que asimile el cambio con naturalidad. Hay que encontrar el momento oportuno o la situación adecuada.

El padre de Daniel descubrió por casualidad cuál era el punto flaco de su hijo. Daniel no se deshacía del chupete para nada, lo llevaba consigo como una especie de talismán, pero también era fan de un futbolista llamado Romário. Y, aunque Pedro, su padre, ya le había comentado una y otra vez que lo del chupete era para bebés y que él ya era mayor, no le hacía ni caso. Hasta que un día, mientras veían juntos un partido de fútbol en el que aparecía Romário, a Pedro se le ocurrió decirle: «¿Ves? Romário, como es mayor, no lleva chupete». Por lo visto, el niño se identificó con su ídolo y al día siguiente cogió a su padre de la mano y se despidió de su adorado chupete tirándolo por el inodoro, tras decirle un emotivo adiós.

Hemos de tener presente que, para muchos padres, el chupete no pasa de ser un aliado en momentos conflictivos que ayuda a calmar al niño, y que alguna vez ha supuesto un verdadero problema no tener a mano. Los tienen de todas las formas y colores y aparecen en los sitios más recónditos, por si acaso. Para unos supone un engorro antiestético y, para otros, una especie de salvavidas mágico. Pero para el pequeño significa mucho más: es su mejor amigo, su consuelo, su seguridad... es bastante más que un simple artilugio sin sentido aparente.

Por eso conviene tomarse muy en serio el momento de la separación, con una estrategia bien estudiada para que no haya margen de error. Una buena idea es ir preparando el terreno con tiempo, para dejarle el chupete a los Reyes Magos o a Papá Noel, debajo del árbol de Navidad. Así ellos se lo llevarán y en su lugar le dejarán un juguete especial. El ratoncito Pérez también puede ser un buen aliado, pero lo principal es que el niño lo tenga asimilado y que esté preparado para dar ese gran paso hacia su independencia. Sería absurdo, pues, querer hacerlo antes de hora y, luego, por lo mal que lo pasa el niño –ya que si no es el momento adecuado para él será una situación difícil–, volvérselo a dar. Así que planifiquemos bien nuestra estrategia antes de actuar.

¡Olvídate del pañal!

Dejar el pañal es un momento crucial en el desarrollo del niño por las numerosas implicaciones que tiene a nivel afectivo. El paso hacia la independencia que supone aprender a controlar los esfínteres es definitivo y hemos de ayudarle y vivirlo como una etapa más en su proceso de desarrollo. Primero hay que enseñarle a familiarizarse con su propio culito. Luego, ¡pañal fuera!, y si se escapa el pipí, no pasa nada: ése es el camino para aprender a controlarlo.

En muchas ocasiones nos encontramos con que algunos niños integran el pañal dentro de su esquema corporal y se sienten desprotegidos sin él. El tan manido tópico de que son los niños tímidos los que tienen problemas de escapes de pipí ha sido desterrado tras los últimos estudios sobre el tema. Realmente, lo que ocurre es lo contrario. El pequeño se siente impotente por no poder controlar su propio cuerpo, cuando los demás niños no presentan ningún problema, lo que hace que se vaya volviendo tímido e inseguro y que inhiba sus reacciones normales y renuncie a conductas habituales, puesto que se siente diferente a los demás amigos que controlan el pipí.

Adiós al pañal en siete días

Antes de decidir quitarle el pañal se ha de comprobar que el niño ya identifica y avisa cuando tiene pipí. Y ya sabe dónde debe hacerlo: en el orinal o en el inodoro con adaptador o sin él.

Lunes. Se avisa al niño y se le recuerda que nos llame cuando tenga necesidad. Hay que enseñarle que el pañal ahora sólo se va a usar de noche.

Martes. Vigiladle y, más o menos cada hora y media, llevadlo a hacer pipí. Tenedle todo el día sin pañal, con ropa cómoda, como pantalones con goma. Y ponedle sólo el pañal para dormir; tanto a la hora de la siesta como por la noche.

Miércoles. Le enseñamos a cortar a voluntad el pipí, es decir, a que aprenda a controlar voluntariamente el esfínter.

Jueves. Ahora dejamos que vaya corriendo al orinal él solo cuando tenga pipí. Entonces, además de felicitarle, pondremos una pegatina en el calendario, para visualizar sus progresos. Si se lo hace encima, no se lo tendremos en cuenta; como mucho, le diremos «acuérdate de decirle al pipí que te avise cuando quiera salir».

Viernes. Para reforzar el aprendizaje, el papá o la mamá debe ir al lavabo con él. Si el niño ve que sus padres también hacen lo mismo que él, se sentirá más seguro.

Sábado. A estas alturas, el niño ya debe controlar en el 90 % de las ocasiones sus escapes; si no es así deberemos controlar su dieta y vigilar que no sea excesivamente diurética.

Domingo. Si ya lo ha conseguido, lo haremos miembro del club de los mayores para que se sienta orgulloso de sus progresos. A continuación retiraremos el pañal de la siesta y a los 15 días aproximadamente, y de la misma forma, le retiraremos el pañal por la noche.

Es muy importante que entre la retirada del pañal diurno y el nocturno no transcurran más de 15 días, puesto que si no se hace así, se corre el riesgo de que no se complete adecuadamente el aprendizaje.

El niño puede pensar algo así como «aprendo a olvidarme de controlar el pipí por la noche, porque como me ponen el pañal...». Pensemos que el mecanismo de control de esfínteres es el mismo de día que de noche, y se suele aprender a la vez. Pero si el mensaje que le damos al niño es «tranquilo, no te preocupes, por la noche no has de hacer ningún esfuerzo; te pondremos el pañal», éste se relaja y aprende lo contrario. Esa información confusa puede ocasionar un trastorno de enuresis encubierto por hábitos incorrectos.

Así que ¡manos a la obra! No es tan difícil, hay que perderle el miedo a que mojen un par de días las sábanas. Pensemos que, en la época de nuestras abuelas, cuando el niño tenía alrededor de los 12-18 meses, las madres se las apañaban para eliminar los pañales, que entonces se lavaban a mano. Sin embargo, ahora, gracias a la comodidad de los pañales desechables hemos alargado casi un año este proceso.

No me come... ¿qué hago?

Lo primero y fundamental es averiguar por qué no come. No es lo mismo un niño inapetente que uno caprichoso u otro que está pasando unos celos terribles porque acaba de tener un hermanito. Lo primero que hay que plantearse es si siempre ha sido un niño al que le ha costado comer o, por el contrario, comía muy bien y de repente parece que ha perdido el apetito.

Hemos de pensar que todos los cambios afectan al niño y que no siempre se tiene el mismo apetito, pero, desde luego, si está contento comerá mejor que si está un poco abatido. Respetemos su ritmo y no le obliguemos; siempre es mejor esperar un poco y darle de comer cuando realmente tenga hambre.

Nuestras prioridades en este tema han de ser:

Antes del primer año es más importante que se alimente que preocuparnos por la forma en que lo hace. Con esto queremos decir que si observamos que comer con cuchara le cuesta, antes de generar una situación conflictiva, hay que optar por la utilización del biberón, con un agujero más grande y la papilla dentro. Imaginemos a Nacho, un bebé de 6 meses, que después del baño se cae de sueño, se pone nervioso y, aunque las otras papillas del día se las come bastante bien, por la noche acaba por dormirse sin apenas haber comido dos cucharadas, lo que ocasiona que a medianoche se despierte, porque, claro, tiene hambre. La solución a esta situación pasa por dejar de lado temporalmente nuestra obsesión por la cuchara. No pasa nada porque dos tomas las continúe haciendo con biberón. A esta edad es mucho más importante que no se salte una toma y que se alimente de forma conveniente. Hay que darles un tiempo de adaptación; todavía son muy pequeños. Es mejor ir despacito, pero con buena letra.

A partir del segundo año no hay que demostrarle que el tema de la comida nos preocupa y que estamos dispuestos a hacer lo que sea con tal de que coma. Lo utilizará para chantajearnos emocionalmente. La mamá de Mónica estaba muy preocupada porque su hija acababa de cumplir 2 años y todavía no comía de todo. Al preguntarle sobre la variedad de alimentos que probaba, cuál fue la sorpresa al comprobar que Mónica comía carne de ternera, de pollo, casi todos los pescados blancos, fruta, verdura, pero no le gustaba el cordero y rechazaba las sardinas y las espinacas. El objetivo no es que un niño de 2 años sea un pequeño *gourmet*, sino que aprenda poco a poco a ir probando diferentes gustos y texturas, y podemos darnos por satisfechos si come un tipo de carne, uno de pescado, huevo, prueba algo de fruta o verdura y legumbres. No es necesario que le gusten las acelgas, espinacas, alcachofas... con que coma dos veces por semana judías tiernas es suficiente. No hay que olvidar que lo básico, o el alimento principal a esta edad es la leche. Medio litro de leche al día, más derivados, como yogur o queso, son imprescindibles. Los derivados lácteos *no* sustituyen a la leche. Pensemos que ésta es la principal fuente de proteínas plásticas, que son las encargadas del crecimiento de nuestros hijos.

De los 3 años en adelante hay que empezar a marcar unas pautas más firmes y empezar a educar respecto a la manera de comer. Es importante hacerlo siempre en el mismo lugar, con un tiempo determinado y con los mismos elementos externos. Con esto queremos decir que no podemos pasarnos dos horas para que coma, haciendo todo tipo de cosas para que se entretenga, ni podemos darle de comer cada día en un sitio diferente (en el salón, la cocina, con la tele, en su cuarto), sino establecer una rutina para que el niño pueda aprender qué conducta se espera de él.

Trucos básicos para enfrentarse con éxito a la hora de comer

La paciencia y la indiferencia son nuestra mejor arma ante una comida conflictiva. Perder los nervios, amenazarle sin tele o recriminarle su actitud no ayudarán a que tu hijo aprenda a comer de todo y con un horario regular, sino todo lo contrario. Cuando el niño os diga «si no veo los dibujos, no como» o algo similar, significa que el pequeño ha descubierto vuestro punto débil y lo utiliza para conseguir lo que él quiere: ¡¡¡NO cedáis nunca a estas situaciones!!!

Haced ver que no os importa lo más mínimo y que, obviamente, se quedará sin comer y sin tele hasta nueva orden. Pero sin enfadarse, con frialdad e indiferencia, como si no pasara nada.

Las horas de comer han de ser relajadas, es un momento de confidencias, de intercambio, de relación entre padres e hijos. Es bueno que os vea comer a vosotros también, ya que así os imitará.

Hacedle platos combinados con pequeñas raciones, de distintos sabores. Una croqueta, dos patatas fritas y un poquito de jamón dulce, por ejemplo. Es importante que se lo acabe y así poder alabar su conducta. Después, de postre, su papilla habitual para asegurarnos que no se queda con hambre.

Evitad que tome mucha agua entre comidas. Lo único que conseguís es que disminuya su apetito y no se alimente. Con el agua que llevan tanto las papillas como los biberones es suficiente. A partir de la introducción de comidas sólidas, es cuando hay que empezar a ofrecerle agua, en pequeñas cantidades y siempre después de comer.

Al principio hay que dejarle que toque la comida con las manos o se ayude. Eso es algo que le costará controlar al principio. Dejadle ir a su ritmo y premiadle con vuestra mejor sonrisa cuando acabe. O prometedle que le explicaréis un cuento si acaba pronto.

El tiempo para comer debe oscilar entre 20 minutos y 1/2 hora. De lo contrario se aburrirán ellos y nosotros.

Si todo esto no funciona, es conveniente que se quede a comer en la guardería, en el colegio o en casa de los abuelos una temporada. Es mejor cortar esta situación que alargarla y crear un verdadero conflicto. Puesto que está en peligro vuestro vínculo afectivo, tanto el niño como el padre encargado de las comidas pueden empezar a coger manía a esa situación, que enturbia la relación sentimental. En el momento en el que te sorprendes a ti mismo pensando «¡qué suerte!, hoy tengo que ir a trabajar y se quedará él con el niño. Así lo pierdo de vista y me salto la comida», es un síntoma de que algo no va bien. Son muchos los padres que se encuentran en esta situación y que empiezan a desarrollar conductas de evitación, se buscan mil excusas para no estar con el niño, se encuentran agobiados; la situación empieza a escaparse de su control y no saben cómo actuar. Ése es el momento ideal para decidir que se quede a comer fuera de casa. Cualquier opción es válida, tanto la guardería como los abuelos o la canguro. El objetivo es atajar la situación de desgaste psicológico, desimplicarnos para poder ser más objetivos. Seguramente, en un entorno neutral y con más niños, empezará a imitar su conducta y aprenderá a comer sin mayores problemas. No dejaremos de ser unos papás maravillosos por eso. Vuestro cometido implica aspectos más profundos, que han de preservarse.

¿Es bueno cogerlo en brazos? ¿Hasta cuándo?

No hay nada bueno o malo respecto a la educación de los hijos, todo depende del motivo que nos lleve a hacerlo. Cogerlo en brazos puede ser muy beneficioso para el niño o muy perjudicial. No es lo mismo que el niño lleve un ratito quejándose y el padre, cansado, lo coja, en contra de sus convicciones, simplemente «para que se calle», que una madre orgullosa de su bebé que lo coge cariñosamente para achucharlo un poco.

> Cualquier cosa que hagamos para que se calle, para que coma, para que se duerma, para que no moleste... difícilmente conseguirá su objetivo, sino más bien todo lo contrario.

Las ventajas de cogerlo en brazos son:

Al oír el latido de nuestro corazón, el bebé se tranquiliza, se siente relajado y le transmitimos seguridad.

El calor, la ternura con la que lo cogemos hace que se sienta querido.

Aprende a transmitir sentimientos a través del contacto físico.

Aprende a interrelacionarse socialmente.

Le estimula el cerebro a través de los impulsos multisensoriales que recibe.

El cambio de postura y el balanceo son importantes para su desarrollo psicomotriz.

Nuestro objetivo, al cogerlo, no ha de ser otro que comunicarnos con él, demostrarle nuestro afecto y, en definitiva, disfrutar de nuestro bebé.

Lo que habremos de evitar es que el niño lo utilice como un chantaje, porque está cansado y no quiere andar o simplemente no quiere obedecer. Ése es el momento en el que hemos de decir «basta».

Segunda parte

Niños de los 3 a los 6 años

Si no pones los cimientos, la autoridad paterna no resistirá el crecimiento de tu hijo. En esta etapa veremos si lo que hemos sembrado hasta ahora da sus frutos... pero, tranquilos, todavía estamos a tiempo de rectificar.

Por otra parte, ha aparecido algo importantísimo: el lenguaje. Vuestro hijo ¡ya habla! A partir de ahora todo cambia, el niño o la niña empieza a imponer sus gustos y va definiendo su personalidad.

Vuestro hijo ha cambiado y la manera de tratarlo también. Se deben cambiar las estrategias, pues lo que antes funcionaba puede que ahora no sirva. Ya sabéis, si no obedece a la primera, lo que se necesita en estos momentos es un cambio de rumbo.

Y tened en cuenta que con los hijos hay que ser tolerante y condescendiente, pero a veces se debe ser inflexible. Si perdéis estas pequeñas batallas acabaréis perdiendo la guerra.

Predicar con el ejemplo, ser constante y coherente en su educación e incentivar su esfuerzo desde bien pequeñito es la clave para conseguir que sea obediente. Hasta ahora se han puesto los cimientos sobre los que se asentarán los primeros ladrillos.

Cómo podemos introducir la disciplina en su vida

Imaginemos una situación cotidiana. Marcos está jugando en su habitación. Desde el comedor, su mamá grita por quinta vez: «Marcos, ¡a comer!». Pero el niño ni se inmuta. Con un poco de suerte, quizá vaya cuando su madre ya no pueda más y la comida esté fría. Es evidente que Marcos hace lo que le da la gana. Al final la madre pierde los papeles y lo va a buscar, no de la mejor manera. Ésta es una escena muy común, pero evitable si desde la primera infancia enseñamos a nuestros hijos que lo que se dice una vez no se repite veinte. La clave para tener hijos obedientes radica en el método de aprendizaje.

«No, si yo ya le digo que haga las cosas, pero no hace caso», suelen argumentar muchas madres. Pero no se trata de decir, sino de hacer. Cuando tienen alrededor de 3 años, no entienden de palabras, sino de hechos. Por eso, cuando le dices que se vaya a la cama, pero no lo acompañas, el niño no es capaz de asociar la orden con la respuesta esperada. Hay que decírselo y acompañarlo. Una y otra vez, hasta que aprenda la dinámica y reaccione inmediata y voluntariamente.

Y lo mismo con el resto de obligaciones. No le digas sólo «lávate las manos». Mejor díselo, cógelo, llévalo al cuarto de baño, lávaselas tú y explícale cómo hacerlo. Si no se lo enseñas, es difícil que lo aprenda solo. Además, si la primera vez se lo dices y una segunda y una tercera y lo repites veinticinco veces sin que te obedezca, el niño aprende que, para moverse, su madre deberá repetir la misma orden un montón de veces. Siempre hay que hacerlo como si fuera un juego divertido y cantando alguna canción que nos sirva de motivación. Nunca como si fuera un castigo.

Para reforzar el aprendizaje

Premiad sus esfuerzos. Es importante recompensarlo cada vez que haga algo bien. Cuando eso ocurra, hay que decirle que estáis muy contentos y proponerle un juego: se trata de la misma tabla de incentivos que utilizamos; hacerla más grande en una cartulina y que la tenga en su cuarto para poder controlar diariamente sus avances, como si fuera un juego.

Dibujad en una cartulina grande una cuadrícula con cada una de sus obligaciones (asearse, vestirse, recoger los juguetes, irse a dormir...) en un lado y en el otro los días de la semana, a modo de cuadro cartesiano.

Cada vez que haga alguna de sus tareas bien poned un adhesivo (animalitos, personajes de dibujos, pegatinas...) en el espacio correspondiente. Es importante que lo hagáis con él y en el momento.

Pactad con él una lista de premios cuando tenga cinco adhesivos, puede ser un postre bueno o unos cromos; cuando tenga diez, una tarde en un parque de juegos, y cuando tenga veinte, una tarde en el circo, una fiesta con sus amiguitos, etcétera, como hemos comentado anteriormente. Hay que intentar personalizar al máximo los premios según el carácter de cada niño o hermano.

Hay que tener en cuenta dos puntos importantes:

En este juego no hay puntos negativos; sólo se valora lo positivo. Si lo hace mal, simplemente se queda sin poner el adhesivo y tardará más en conseguir su premio.

Es básico que los premios no sean materiales, porque el resultado a largo plazo es mejor. Los juguetes les duran cinco minutos. El recuerdo de una fiesta, sin embargo, es para toda la vida.

Este juego es muy educativo y pedagógico, puesto que se consigue que el niño, desde pequeño, aprenda que todo esfuerzo tiene una recompensa. La recompensa es doble: de satisfacción personal, porque lo ha hecho bien y los papás están contentos y, además, porque el niño es el centro de atención en la actividad que ha escogido como ganador.

Es básico diferenciar el premio del chantaje. Si el niño tiene una rabieta y, para que se calle, le prometéis un caramelo o lo que quiera... estáis haciendo justo lo contrario de lo que se pretende; estáis premiando un mal comportamiento. Hay que incentivar, sí, pero siempre en positivo. No estamos hablando de cómo eliminar las malas conductas, sino de cómo evitar que se produzcan, que es mejor. Si el niño aprende que las recompensas y la atención de los padres las obtiene cuando se porta bien, no necesitará hacer perrerías para conseguirlas.

Por otra parte, la educación de los hijos es una carrera de fondo y requiere dedicación, esfuerzo y coherencia. Sólo así nos ganaremos el respeto de nuestros hijos. Si estás estirado en el sofá y le dices a tu hijo que se vaya a dormir, pero no haces nada al respecto, no esperes que la próxima vez te haga caso.

En todos los aspectos de la educación, y en éste más, hay que trabajar a diario con objetivos a largo plazo. Cuando son pequeños les consentimos demasiadas cosas, porque pensamos que ya habrá tiempo de ponerlos firmes. Pero en esta obra hay que poner ladrillos desde el principio para no arrepentirse después, cuando no existe la posibilidad de dar marcha atrás o es muy difícil. Hay que tener claro, una vez más, que lo que aprendan en esta época se fijará en su cerebro para siempre. Si no obedecen ahora, ¿qué puedes esperar cuando tengan 15 años?

La adolescencia es una etapa muy difícil de la vida en la que nuestro hijo tendrá que tomar decisiones y nosotros poco podremos hacer. Pero si además no nos hemos sabido ganar su respeto, cuando sea mayor les resultará imposible saber cuál es la actitud correcta frente a determinadas tareas.

Un ejemplo muy simple pero muy gráfico: hacerse la cama. Si habitualmente se la haces tú, el día que se la tenga que hacer él le supondrá una montaña, un cambio de esquemas, una responsabilidad que no tienen asumida. Interpretará su independencia como un castigo, como un cambio a peor, dado que antes se lo hacían todo. No le ayuda a que valore de forma real las cosas.

Desde muy pequeños, los niños deben asumir algunas responsabilidades de acuerdo con su edad, saber que el babero se deja en un determinado sitio, que el chupete no se tira al suelo, que puede y debe vestirse solo... aunque tarde el doble y tú te pongas nerviosa. Obviamente, éste es el camino más difícil –simplemente porque requiere más tiempo de dedicación y más paciencia–, pero seguro que con él se obtienen mejores resultados.

Al dejarle hacer lo que quiera no estamos queriéndolo más, sino haciendo puntos para que se convierta en un niño caprichoso. Le podéis enseñar muchas cosas: la más importante es que hay que esforzarse para sentirse satisfecho. O eso, o tener un niño como Marcos. Vosotros decidís.

Cómo hacer que obedezca

No pierdas tiempo. Actúa inmediatamente, si no el niño no sabrá por qué le estás riñendo. No esperes a que tenga cinco años para que aprenda a respetarte.

Enséñale. Al principio, además de pedirle las cosas, hazlas con él.

Prémialo. Cada vez que haga algo bien, incentiva su esfuerzo.

No lo sobornes. Nunca le ofrezcas un premio para que deje de hacer algo que no te gusta.

Sé coherente. No le prometas, bajo ningún concepto, cosas que luego no vas a cumplir.

Edúcalo. Desde bien pequeñito dale responsabilidades de acuerdo con su edad.

No cedas. Si después del aprendizaje no obedece a la primera, no hagas la vista gorda.

La coherencia y la unificación de criterios entre papá y mamá son fundamentales para ganarse el respeto de los hijos. Es muy importante para su formación, porque los niños imitan los comportamientos de los mayores. Por lo tanto, si los niños han vivido que sus padres se han dejado avasallar por ellos, cuando sean mayores no tendrán ninguna pauta que seguir para hacerse respetar ellos mismos por sus amigos, novios/as... y se llevarán más de una decepción.

Nunca hay que prometer lo que no se va a cumplir. Si le dices a tu hijo que le vas a llevar al cine si quita la mesa, ¡hazlo! Y si no, no lo digas y prométele algo más acorde con su esfuerzo. De lo contrario el niño se sentirá engañado y dejará de confiar en ti. No pierdas credibilidad y cumple tu palabra en todo momento, si no, te arriesgas a que tu hijo acabe haciendo lo que le dé la gana.

Asimismo, el niño debe aprender que papá y mamá forman un frente común y que cuando uno dice una cosa es inútil acudir al otro para convencerlo de lo contrario. Por supuesto, no discutáis delante de él para que no sepa cuáles son vuestros puntos débiles. Los niños se dan cuenta de todo. De esta manera, confiará en sus padres y aprenderá a respetarlos porque sabrá que cuando dicen una cosa la cumplen. Creerá en vosotros y eso le dará confianza y seguridad. Ésta es la base de la pirámide que estamos construyendo, de esta manera conseguiréis que cuando sea mayor y tenga algún problema confíe en vosotros y os pida consejo.

Mamá no está. Su primera independencia

Aunque sea muy pequeño, sus emociones son muy intensas. Todo es nuevo para él y sus reacciones todavía son desproporcionadas. Por eso, los mayores nos sorprendemos cuando nos montan un drama por una tontería.

Pero hemos de tener claro que todas las novedades alteran a los niños. Es inevitable. El primer chapuzón, el primer encuentro con un animal o la primera vez que se suben a un columpio, los sorprenden porque no son situaciones habituales, y sus reacciones pueden ser de llanto o extrañeza.

Eso es lo que va a suceder cada vez que alteremos sus costumbres o rutinas. Hay un cambio abismal entre la primera vez que se queda con la abuela o la canguro y la primera vez que va a la guardería o al «cole» de mayores. La diferencia radica en el cambio de entorno. Aunque es verdad que los niños extrañan más a las personas que los lugares, pasarse ocho horas fuera de casa, hacer la siesta, comer... todas esas novedades les producen un estrés tremendo.

Aunque tu hijo ya sepa hablar y tú estés más tranquila, piensa que él todavía no sabe ni identificar ni expresar lo que siente. Sus reacciones serán más sutiles, sencillamente no soportará estar tanto tiempo fuera de casa. Sabe que te vas, pero no está demasiado seguro de si volverás. Estará más inquieto, dormirá peor, puede, incluso, que pierda el apetito.

> – Ayúdale a superarlo: haz que se sienta seguro y no le traiciones. Sé consecuente: desaparecer sigilosamente sin que el niño se dé cuenta no es la mejor solución, porque, en cuanto se percate de que habéis desaparecido, se sentirá abandonado y dejará de confiar en vosotros.
> – Aunque es más complicado, acostumbrarle a las despedidas durante esos primeros días puede ser muy difícil y costoso, pero a la larga da mejor resultado. Lo más importante es que el niño aprende a confiar en la palabra de sus padres.

A menudo adaptarse a la nueva situación es tan traumático para los padres como para el niño. Oírlo llorar desconsoladamente destroza los nervios al más pintado y puede ser la causa de que cedamos a la presión, porque en el fondo nos encanta sentirnos imprescindibles para nuestro hijo. Pero, cuidado, es más listo de lo que creemos y está probando nuestra capacidad de aguante. Estad seguros de que tan pronto desaparezcáis de la vista, el niño deleitará con la mejor de sus sonrisas a la abuelita, a la profesora o a la canguro.

Sus dificultades para desligarse de la madre implican un cierto sentimiento de inseguridad. Normalmente los niños con un alto grado de autoestima y seguridad en sí mismos son más independientes y les cuesta menos iniciar una andadura por separado. Esta característica también es habitual entre los hermanos mayores en detrimento de los pequeños. Los benjamines suelen estar más enmadrados y les cuesta separarse de mamá. Incluso cuando son más mayores y se van de campamentos, también la echan de menos.

Hemos de confiar en ellos y ayudarles a lograr ese grado de independencia tan necesario para su buen desarrollo emocional. Esta etapa no parece, a primera vista, demasiado trascendente en la evolución del niño. Y, sin embargo, lo es. Los niños que no superan adecuadamente este proceso pueden tener problemas más adelante, a los 8 o 10 años, cuando su integración en el mundo escolar les plantee situaciones en las que las actividades propias del colegio incluyan pasar fuera de casa dos o tres noches por campeonatos deportivos, o 10 o 15 en campamentos de verano. Otras veces serán los propios amigos quienes generarán ocasiones para ir a dormir a su casa. Estas situaciones pondrán a prueba el grado de independencia adquirido por el niño en los años precedentes.

Parece imposible que pueda ocurrir que un niño prefiera perderse una excursión con sus amigos de la escuela por no querer separarse de sus padres, o que le dé miedo pasar una noche fuera de casa. Sin embargo, es más frecuente de lo que cabría suponer.

Conozcamos el caso de Ana, una niña de 10 años, muy lista, que siempre ha destacado en clase por sus notas, su alto rendimiento y responsabilidad, que, sin embargo, es incapaz de alejarse 2 kilómetros de su casa. Sus padres han comprobado que es una cuestión de kilómetros. Ana no tiene problemas en quedarse a dormir en casa de una amiga, que a la vez es vecina y vive en la misma manzana. Por el contrario, cuanto más se aleja físicamente, mayor es el pánico que siente y se queda tan paralizada que, cuando se acerca la hora de irse a dormir, no duda en llamar a su padre para que la venga a buscar. Esta situación le crea problemas de aceptación entre sus compañeros, que no entienden su actitud, y además se pierde cantidad de actividades, tanto lúdicas como formativas. El problema es que realmente no le pasa nada, pero siente añoranza, piensa en lo que van a hacer en su casa mientras ella no está y que su hermana pequeña va a ocupar su puesto. Es decir que siente celos, dificultad por independizarse. Y necesidad de llamar la atención. Un error que comete de manera inconsciente el padre es pedirle que le llame si no puede superar la angustia y, como supermán, acude al rescate de su niña. No le da la oportunidad de superarse y enfrentarse a la situación ella sola.

El consejo adecuado para esta situación es no darle la oportunidad de que llame, sino que se lleve unos sobres de valeriana y que se los tome antes de irse a dormir, y no darle mayor importancia. Es lo más normal del mundo y ya se le pasará. Seguramente, en este caso, el problema de la separación también lo tiene el padre y se tendría que plantear no intentar salvarla de todo, ni ser un superpapá, ya que a menudo es contraproducente.

Adaptación al ritmo escolar. Problemas más frecuentes, dislexia, hiperactividad, tics...

Ahora ya va en serio. Nuestro hijo a esta edad ha de empezar a hacer deberes, ha de aprender a concentrarse, se ha de portar bien en clase. Empieza a tener responsabilidades, a llevar una agenda... Pero no todos los niños se adaptan bien a la nueva situación. A unos les sienta como un guante, se ponen las pilas y están dispuestos a dar lo mejor de sí mismos y, en cambio, a otros les repatea obedecer, tener un horario, estarse quietos en la silla... lo único que hacen bien es revolucionar a toda la clase, y su profesor ya no puede más con ellos. ¿Qué sucede?

Pueden pasar varias cosas: desde que el niño esté en un mal momento y necesite llamar la atención hasta que sea un niño hiperactivo, desde una dislexia hasta la tartamudez, pasando por los tics.

En este primer contacto con el mundo académico hay que estar atento para poder prevenir situaciones sin importancia, a las que si no ponemos solución a tiempo se pueden convertir en un serio problema más adelante.

Signos de alerta

Le cuesta muchísimo aprender a leer y escribir. Confunde letras y números, los invierte o escribe en espejo, a pesar del empeño y el esfuerzo con que lo intenta.

Le es bastante difícil orientarse en el espacio, confunde derecha e izquierda.

Le cuesta orientarse también en el tiempo, las secuencias temporales, el orden, lo que va primero y lo que va al final.

Tiene dificultades para cumplir órdenes compuestas: «Ve a la cocina y trae el vaso, y luego lo dejas en el fregadero».

Se distrae con mucha facilidad, y con todo, en cualquier circunstancia. No se concentra ni viendo su serie favorita de dibujos animados.

Todas estas situaciones las hemos agrupado como signos de alerta, aunque en sí mismas no significan nada; sin embargo, sí hemos de estar ojo avizor y controlar su evolución. No todos los niños tienen el mismo ritmo de aprendizaje, pero si detectamos varios de estos signos de alerta no estaría de más consultar con un especialista, psicólogo o psicopedagogo, tan sólo para descartar cualquier dificultad, o en el caso de que la hubiera ponerle remedio lo antes posible.

El límite para empezar a actuar se sitúa alrededor de los 5 años. Obviamente se trata de una actuación a nivel preventivo, precisamente por eso muy aconsejable, ya que evitará que la situación se complique, que nuestro hijo pierda el ritmo de aprendizaje escolar y tengamos que recurrir a costosas reeducaciones.

Cómo descubrir si hay algún problema y qué hacer para ayudarlo

Problemas de lecto-escritura. En cuanto a un niño le cuesta leer y escribir hay que ponerse manos a la obra y descubrir qué se esconde tras esta dificultad. Una de las alteraciones más frecuentes es la dislexia, pero, ojo, no hay que confundirla con los errores típicos del proceso de aprendizaje.

Falsa alarma. Todos los niños, cuando están aprendiendo, pueden confundir la derecha con la izquierda, la p con la q y la b con la d. Invierten algunos números y a menudo, si son zurdos, escriben en espejo. Estos errores no significan nada en sí mismos; forman parte de un proceso de ensayo/error que van superando paulatinamente. Hay que darles un margen, no todos los niños aprenden a leer con la misma rapidez.

La dislexia consiste en un retraso de dos años en el aprendizaje de la lecto-escritura respecto a lo que le correspondería por edad y que no afecta a otras áreas. Son niños especialmente brillantes en matemáticas y suelen ser zurdos. A menudo la dislexia se confunde con problemas de lateralidad.

Plan de acción. Estas alteraciones, aunque tienen solución, nunca supondrán una habilidad destacada en ellos. Sí se pueden remediar, a través de una reeducación multisensorial; la más conocida es la Orton-Gilling-

121

ham. A la vez, hay que fomentar, con pequeños trucos, la autoestima. Les ha de quedar claro que no son tontos, que destacan en otras áreas y que esa dificultad la superarán con la ayuda pertinente, igual que a un miope cuando le ponen gafas.

> **Einstein era disléxico. Estas alteraciones suelen ser hereditarias. Las padecen más niños que niñas y más zurdos que diestros. Actualmente la ley permite que estos niños lleven a cabo exámenes orales en lugar de escritos.**

Habla mal. Tiene problemas para pronunciar algunas letras. El ceceo o el seseo es normal hasta los 5 años. Esa edad, como podremos comprobar, es el punto de inflexión de muchos aspectos en el desarrollo del niño. Las dificultades o el retraso en la aparición del lenguaje se deben en la mayoría de los casos a problemas tan sencillos como un tapón de cera o una otitis, que impiden una correcta audición y, por tanto, imitar correctamente algunos sonidos, así como al hecho de tener el paladar mal formado o, simplemente, ser el primogénito y estar rodeado de adultos. En este último caso, los mayores están a disposición del niño nada más que éste levante la mano. Antes ni siquiera de intentar articular una palabra, ya le han dado lo que quería.

Falsa alarma. Los verdaderos problemas son los tartamudeos o los bloqueos en los que el niño es incapaz de pronunciar ni una palabra. A menudo se esconden verdaderos problemas, que ocasionan al niño un grado muy elevado de ansiedad.

Plan de acción. Una vez descartada la causa fisiológica o de ansiedad (en estos casos se tendría que buscar mediante terapia psicológica el origen del problema para solucionarlo), el resto de situaciones se pueden solventar satisfactoriamente con la ayuda de un logopeda. Unas cuantas sesiones y el niño dirá sin parpadear «supercalifragilisticoespialidoso». Por otra parte, como padres, hemos de apoyarle, darle seguridad y sobre todo evitar que haga el payaso y consiga ser el centro de atención con su peculiar manera de hablar, o reírse cuando hable como un niño pequeño y utilice onomatopeyas. No le sobreprotejáis, pero tampoco le presionéis cuando no le sale bien. ¡Paciencia! Lo logrará.

Niños hiperactivos. No es lo mismo tener un niño movido que uno hiperactivo, pese a que la mayoría de la gente tiende a confundirlo.

Falsa alarma. Haz la prueba, obsérvalo cuando esté haciendo su actividad favorita: ver la tele, jugar con videojuegos... Si en esos momentos ni tan siquiera parpadea, tienes un trasto movidito como hijo, pero no es hiperactivo. Hay muchos falsos hiperactivos, debido al exceso de actividades y la falta de horas de sueño, ya que el organismo se sobreexcita para mantenerse alerta. Hemos de tener en cuenta que un niño desde los 3 años, edad en que deja de hacer la siesta, hasta que entra en la adolescencia, que es su período de crecimiento, debería dormir alrededor de once horas de sueño nocturno. Actualmente, debido al ritmo frenético de nuestra sociedad, eso es casi inviable. Pero, aun así, deberíamos intentarlo. A menudo unas buenas horas de sueño lo curan todo. El sueño, esas once horas de las que hablamos, es el responsable de que nuestro hijo sea capaz de mantener la atención en la escuela, que se encuentre relajado y en plena forma, que su carácter sea amigable y tranquilo y que además crezca mucho. «¿Por qué necesita tantas horas de sueño?», os preguntaréis. Sencillamente, porque durante las distintas fases del sueño nocturno pasan muchas cosas en el cerebro y también en el cuerpo. A continuación explicamos las más destacables.

– El sueño representa el descanso de nuestro sistema físico para que pueda rendir al 100 %.

– Durante la fase de sueño REM, la más conocida, nuestro cerebro guarda en la memoria de su «disco duro» todo lo que hemos aprendido durante el día. Por eso, si nos quedamos en vela estudiando un examen, a la mañana siguiente podemos quedarnos en blanco.

– Se sincronizan todas las funciones hormonales, entre ellas, las emociones. Si no dormimos lo suficiente, estamos más irritables y agresivos.

– Y, por supuesto, las horas de más que han de dormir los niños respecto al sueño de los adultos sirven para crecer mucho y bien. Es cuando el organismo se regenera y produce nuevas células. Todos tenemos presentes los efectos devastadores de la falta de sueño en la memoria, respecto a los reflejos o en el estado de ánimo cuando algún día dormimos poco o el niño nos despierta tres o cuatro veces en la noche. Ahora imaginaos los mismos efectos en un niño.

Ellos sufren la falta de sueño, como mínimo, cuatro veces más que los mayores. Así que un buen consejo: ponedle un límite a la hora de irse a dormir; todos saldréis beneficiados.

Plan de acción. Si hemos descartado todas las alternativas y realmente la actividad motriz de nuestro hijo es exagerada y le impide concentrarse, por lo que se ve afectado su rendimiento escolar, hay que ponerse en manos de un especialista. Es posible, incluso, que precise medicación para atenuar los síntomas. Nos hemos de armar de paciencia y no perder de vista que él no lo hace queriendo. En algunos casos se recomienda también que los padres sigan unas pautas de actuación, que os serán de gran ayuda.

¡No hagas un mundo de ello! Churchill, Leonardo da Vinci y Bill Clinton fueron niños hiperactivos.

Los tics. Algunos niños tienen una tendencia muy marcada a realizar movimientos involuntarios y rituales. Tienen tics, carraspean, guiñan los ojos, hacen muecas...

Falsa alarma. Si desaparecen tal como vienen y son intermitentes, no te preocupes: son muy frecuentes en los niños a partir de los 6 años. Normalmente son descargas motoras inconscientes provocadas por un exceso de ansiedad. Suelen aparecer en momentos de grandes cambios, cuando empiezan a estudiar y cuando atraviesan la adolescencia, sobre todo en niños tímidos, a los que les cuesta hablar de sus sentimientos.

Plan de acción. El tic suele ser un síntoma de que algo no va bien, por lo que deberíamos buscar la causa. Mientras tanto, es aconsejable hacer como si no lo vieseis. Si le repites constantemente que no lo haga, lo alarmarás, puesto que en la mayoría de los casos no es consciente de ello. Los tics son más frecuentes en niños que en niñas.

Enséñale a concentrarse

Aunque todos nacemos con la habilidad de concentrarnos, se requiere un proceso de aprendizaje para saber hacerlo. Así le ayudarás a conseguirlo:

– Destinar un espacio acogedor, con la luz adecuada y sin excesivos ruidos para que pueda hacer los deberes a gusto y se pueda concentrar.

– Evitar las interrupciones: teléfonos, televisión.

– Colaborar con él en lugar de controlarle; no le machaques constantemente y exigiéndole que te enseñe la agenda. Espera a que sea él quien solicite tu ayuda.

– Dar buen ejemplo: proponle trabajar juntos, para que no le cueste ponerse. Si tú estás haciendo otra cosa, le cuesta más.

– Compartir tareas: tú le puedes ayudar con el diccionario mientras él se concentra en la redacción.

– Ayudar a estimular su atención con juegos de observación para que se acostumbre a fijarse en detalles y luego sepa relacionarlos entre sí.

La capacidad de concentrarse está íntimamente ligada a saber fijar la atención. Por esa razón, aunque no lo sepas, ayudas a tu hijo siempre que haces que se fije en los objetos y las imágenes que le rodean. El primer atisbo de atención se produce cuando aún no tiene 3 meses y le hablamos mirándolo a los ojos para que nos responda con una sonrisa. Por ello, hay que tener en cuenta que desarrollar la habilidad para concentrarse a temprana edad acelera y facilita los posteriores aprendizajes.

Estrategias para fomentar la capacidad de concentración

Enséñale a escuchar. Cuéntale cuentos, tanto leídos como inventados, y atrae su atención. Deja que te interrumpa y te pregunte cosas. Alentar su iniciativa y curiosidad es básico.

Entrénalo para que sea observador. Podéis empezar jugando al «veo veo» e ir complicándolo. Por ejemplo, al salir de casa de un amiguito, consigue, a partir de cualquier excusa, que te la describa. O pregunta, mientras vais en coche: «¿Quién se ha fijado de qué color eran los zapatos del vecino?».

Juega a los detectives. Éste es un buen sistema para desarrollar su capacidad deductiva. Introdúcelo en el mundo del ajedrez, así aprenderá a predecir cuáles van a ser los movimientos del contrario. Es una gran gimnasia mental.

La música es una gran aliada. Aprender canciones, tanto la letra como la música, es un buen ejercicio. Ha de estar muy atento para, de repente, completar una parte muda. De esta manera se trabaja también la rapidez de reflejos.

Proponle ejercicios de visualización. Éstos se hacen con los ojos cerrados y sirven para trabajar la imaginación.

Papitis y mamitis. El complejo de Edipo y el complejo de Electra

Alrededor de los 5 años se acostumbra a detectar un fenómeno de enamoramiento del progenitor del sexo contrario. Sigmund Freud, el padre del psicoanálisis, lo bautizó como complejo de Edipo y Electra, respectivamente, según si es niño o niña el que lo experimenta. Tomando el mito griego de Edipo Rey quien, sin saberlo, mató a su padre y se casó con su madre, Freud elaboró una compleja teoría con fuertes connotaciones sexuales, revolucionaria en aquella época, a principios del siglo xx. En nuestros días muchos de los aspectos que se describen han quedado obsoletos; sin embargo, las actitudes liberales también presentan problemas, dado que una tolerancia exagerada también es perjudicial para el desarrollo psicológico del niño. La prensa se hizo eco de una noticia sobre una madre que amamantaba a un niño de 8 años, a su voluntad, y otro caso verídico de una madre que acudió a consultar con el psicólogo si era normal que su hijo de 5 años utilizara el pecho de la madre como chupete para dormirse. Éstas son situaciones extremas en las que no se ha cortado el cordón umbilical y en las que se generan conflictos psicológicos.

No obstante, no todos los niños atraviesan necesariamente esta etapa. Dependiendo de lo fuerte que sea, pasará o no inadvertida. Hay niños en los que ni se advierte, y otros que atraviesan esta fase como por una turbulencia. Es muy común oír a un niño de esta edad comentar que cuando sea mayor se casará con su madre. O que simplemente tienen curiosidad y, al advertir las diferencias físicas existentes, quieren comprobarlas, tocarlas: «Mamá, ¿te puedo tocar el pecho?». Este tipo de conductas son normales a esta edad, pero tanto el padre como la madre tienen derecho a limitar la conducta de sus hijos en el momento en el que se traspase el umbral de la curiosidad y se convierta en una situación incómoda.

Éste es el caso de Marina, una niña de 4 años y medio que trae a su madre, Mayte, de cabeza. Ella no consigue entender por qué su marido le roba todo el protagonismo delante de la niña, y se ha creado una situación de complicidad entre padre e hija de la que ella confiesa estar un poco celosa. Nos relata, muy afectada, cómo su marido siempre defiende a Marina ante sus reprimendas y cómo su hija siempre lo prefiere a él. Mayte está cansada de esta situación y ve frustradas sus ilusiones como madre. Dice que incluso cuando la niña está enferma llama a su padre.

El de Marina es un caso muy extremo de complejo de Electra o «papitis», pero es bastante más frecuente de lo que imaginamos. Aún lo es más el caso contrario: mamá «enamorada» de su hijo y viceversa. Estas situaciones, si se llevan con normalidad, se superan sin mayores dificultades. Es normal que a una madre se le «caiga la baba» por su hijo y que papá mime en exceso a la niña de sus ojos, pero bajo ningún concepto hemos de dejar que esta nueva relación de predilección nos absorba hasta el punto de apartar a nuestra pareja del nuevo binomio.

El mayor error es empezar a bajar los límites. Dejamos que vengan a dormir a nuestra cama cuando papá o mamá no están o, incluso, cuando hacen un poco de cuento, y vamos apartando a nuestra pareja... incluso del lecho conyugal. Esto puede empezar como un juego, pero puede acabar con nuestra relación amorosa o descubrir algún problema oculto. Hay que evitar que nuestro hijo usurpe el lugar que le corresponde a su padre, en la mesa, en la cama o cediendo a todos sus caprichos.

Esta situación a menudo se acentúa en casos de separación, en los que, para que mamá no se sienta sola o para que el niño no sufra, le dejamos que duerma en nuestra cama y la situación acaba convirtiéndose en una rutina difícil de controlar. Está bien que cuando el niño esté enfermo o sea un día excepcional venga a dormir a la cama de los papás, pero no es adecuado cuando lo hace por norma y los padres lo aceptan, bien sea porque estén cansados y les dé pereza levantarse y volver a llevar al niño a su cama, o bien porque no le den importancia. Pero, como en todos los temas educativos, hay que mirar a largo plazo las consecuencias que este tipo de conductas pueden tener en el ámbito afectivo del niño.

Padecer «papitis» o «mamitis» puede generar un patrón incorrecto si no se supera convenientemente.

No hay que hacer nada especial, simplemente poner unas pautas muy claras y unos límites bien establecidos: cada uno tiene su lugar para dormir, para comer, y se debe respetar. Dar tiempo, hablar con la pareja y apoyarse mutuamente para que el niño o la niña vayan encontrando su sitio. Si nos genera demasiada angustia, como es el caso que hemos explicado, la niña lo percibe y lo utiliza para generar competitividad entre los padres logrando así ser ella el centro de atención.

Los primeros amiguitos. La sociabilidad

Ésta es la etapa en la que la sociabilidad y el establecimiento de sus primeras relaciones interpersonales cobran una importancia primordial.

Desde sus primeros días de parque o guardería en los que apenas interactúan, a estos inicios de sus primeras amistades, no ha pasado tanto tiempo, pero el niño sí que ha cambiado. El establecimiento de estas relaciones es muy diferente entre niños y entre niñas. En este período suele haber pocas interacciones mixtas ya que el juego está muy diferenciado: por regla general, los niños actúan y las niñas hablan. Los tipos de juegos característicos de los niños son aquellos en los que interviene una pelota, corren, saltan, juegan con coches o construcciones. Pero apenas hablan: cuando se juntan dos niños a jugar son capaces de estarse una hora sin mediar palabra entretenidos con la pelota, cosa absolutamente impensable entre niñas. Ellas hablan y hablan y se inventan todo tipo de juegos simbólicos, aunque también les gustan el deporte, las cuerdas, etc. Estas diferencias hacen que el tipo de conflictos sean formalmente diferentes. Ellos muestran su enfado empujando o dando patadas, enfrascándose en una pelea, y ellas se retiran la amistad: «Ya no soy tu amiga», y organizan un pequeño complot para que las demás tampoco sean sus amigas. En estos preliminares hacia los comienzos de una relación de amistad, se confunden varios sentimientos: el compañerismo, compartir unas vivencias comunes, la admiración, caerse simpático o antipático; y a la primera de cambio ya son amigos. Es necesario ayudarles a expresar los sentimientos y a definir a sus amigos y por qué se sienten bien con ellos. Estas pequeñas reflexiones les ayudarán a identificar y elaborar el concepto de amistad.

La amistad implica reciprocidad, buena sintonía, compenetración, compartir gustos y aficiones y ayudarse mutuamente. No es fácil, y no hemos de caer en la tentación de ayudarles a elegir o seleccionar previamente a sus amigos en función de si a nosotros nos caen bien sus padres. Hay que ayudarles a que sean ellos quienes decidan y elaboren su propio criterio. Cuando vemos que tiene fijación por un niño y es perjudicial para él, en lugar de prohibirle jugar con él o no invitarlo, se debe hacer de manera que quede en evidencia frente a tu hijo, para que sea él mismo quien se dé cuenta.

Sus primeras relaciones con otros niños ocasionan a menudo situaciones conflictivas.

Plantéate como meta que tu hijo aprenda a resolver por sí solo sus conflictos. Déjale que se ejercite en situaciones inofensivas.

Si le proteges en exceso y saltas en su defensa al menor contratiempo, fomentas que dependa de ti. Debe tener ocasiones para probar sus propios recursos y ganar autoconfianza. Es importante que tu hijo entienda que lo ideal es defenderse sin tener que recurrir a la violencia. En el caso contrario, si es él siempre el que empieza, no tolera que se burlen de él, o es demasiado susceptible, nos está mostrando sin querer su punto débil: la inseguridad. Necesita como el aire que respira que fomentes su autoestima; si le castigas constantemente, se sentirá más inseguro y aprenderá a defenderse atacando. Así es que en casa podéis ensayar juntos alternativas y formas de abordar situaciones conflictivas, como darse la vuelta y dejar solo al niño que le ha ofendido, negarle lo que reclama, o contestar «no me importa lo que digas».

Juntos, frente al televisor o a un libro, podéis comentar situaciones en las que hay que defenderse y cuáles son las correctas. Utiliza a sus personajes favoritos.

Los amigos le dan la oportunidad a tu hijo de ensayar sus habilidades emocionales y de incorporarse al mundo social. Aprenden a jugar en equipo, a guardar los turnos, a expresar sus sentimientos y afinidades y a compartirlas.

También surgen por primera vez sentimientos encontrados: es su mejor amigo y le fastidia que sea mejor jugando a fútbol que él. La admira porque es muy guapa y ella se encuentra horrible. Son muestras de incipientes pensamientos de envidia que hemos de desterrar de sus cabecitas.

Cuando se es hijo único, los amigos tienen una especial relevancia, ya que suplen el papel de los hermanos.

Y, aunque está acostumbrado a estar solo, es más independiente y más selectivo, necesita el contacto con otros niños de su edad para compensar la responsabilidad que supone ser el único centro de atención de los padres. Cuando no existe la competencia con otros hermanos y un niño crece instalado en su trono de «rey de la casa», conviene conocer una serie de detalles para evitar el mal uso de sus privilegios.

Objetivos de la sociabilidad

Destierra el egoísmo innato del niño. Ha de aprender que no es el centro del mundo y que no puede anteponer sus necesidades a las de los demás. Para lograrlo es importante que los padres le marquemos los límites. No siempre hemos de estar a su disposición.

Evita que se convierta en un adulto prematuro. Un niño sin contacto con otros niños de su edad, primos, hermanos o amigos, aprende a imitar a los adultos que le rodean. A menudo tratamos al hijo mayor o al único como si fuera uno más y, aunque sea buen niño y muy responsable, no deja de ser un niño. No le agobies con excesivas responsabilidades.

Huye de la excesiva dependencia. Una tarea muy importante y quizá la más difícil respecto a la educación de un hijo es prepararlo para que sea independiente. Para fomentarlo, nada mejor que la guardería y las actividades extraescolares. Hay que animarlo a que realice actividades por sí mismo.

Refuerza su autoestima. El tener una pauta comparativa y acostumbrarlo a colaborar con otros niños de su misma edad es una ayuda inestimable para construir una fuerte autoestima.

No lo mimes demasiado. Existe el peligro de que se convierta en un pequeño tirano, caprichoso y prepotente. Debemos ayudarle a que se integre en el grupo de su clase y se esfuerce en colaborar, cooperar y hacerse querer. Enséñale que lo que a él no le gusta que le hagan, no lo haga él tampoco a sus amigos.

Distintos comportamientos de los hijos únicos o con hermanos

	Hijo único	Con más hermanos
Obediencia	Es menos desobediente	Suele ser más revoltoso
Intereses	Imita a sus padres	Le ayuda a desarrollar sus propios intereses
Confidencias	Se lo cuenta todo a sus padres	A pesar de las rivalidades aprende a confiar en sus hermanos
Amigos	Tiene pocos y bien elegidos	Es muy amigo de sus amigos y tiene muchos

Crecer con hermanos... y sin rivalidades. Los primeros celos

Crecer entre hermanos es una experiencia muy positiva para cualquier niño, pero lograr que entre los niños se establezca un vínculo de amor fraternal no siempre resulta una tarea fácil para los padres.

Ventajas de tener hermanos

Al tener hermanos, el niño cuenta con un compañero de juegos y un cómplice para sus pequeñas travesuras. A medida que van creciendo se convierten en confidentes. La convivencia y la intimidad crea entre ellos un vínculo que va mucho más allá de la simple amistad y, paralelamente, las inevitables peleas les sirven para saber defenderse delante de otros niños. Son como un pequeño entrenamiento. Aprenden a compartir, tanto el cariño de sus padres, como su habitación o la ropa.

Los inconvenientes

Los celos, la competitividad, las peleas... y un mayor estrés a la hora de cuidarlos. Compaginar la atención personalizada de cada uno de tus hijos, con el trabajo y la pareja es una tarea complicada.

Cuando uno no está enfermo, el otro se rompe una pierna.

Es más difícil «colocarlos» cuando quieres hacer una escapada romántica con tu pareja. Tanto los amigos, hermanos, como los abuelos aceptan sin problemas que les dejes un niño, pero tres es algo que se piensan muy bien.

Necesitáis una mayor infraestructura en casa. Cada hijo realiza una actividad extraescolar diferente, hay que llevarlos y traerlos. Uno va a la guardería y el otro al colegio. Hay momentos en los que no se tienen suficientes brazos.

Sin embargo es verdad que todo ese ajetreo tiene su compensación. Los hijos os llenan de satisfacción, orgullo... y pequeños problemas.

> **Prepáralos para que sean buenos amigos. Reduce la competitividad; cada hijo es único e irrepetible. No los compares.**

Cuando hay varios hermanos, es inevitable que surjan situaciones conflictivas. Las peleas suelen ser frecuentes, ya que son necesarias para delimitar el espacio de cada uno. Forman parte de la relación normal entre ellos. Los niños se pelean porque es divertido, pero a menudo lo que empieza como un juego suele acabar mal.

La pregunta es: ¿cuándo hay que intervenir? Casi todos los padres se preguntan si se han de meter en medio de una riña entre hermanos o si sería mejor que ellos solos aprendieran a resolver sus conflictos. El objetivo debe ser que aprendan a solucionar sus problemas sin necesitar la mediación de un adulto, y ahí está la clave de la cuestión.

Se trata de un aprendizaje y, como tal, hemos de darles unas pautas para que puedan seguirlas. Seguramente, si les dejamos a su aire, se pegarán, se estirarán de los pelos y siempre saldrá perdiendo uno de los hermanos, que no tiene por qué ser siempre el pequeño, a veces es el más fuerte o el más pegón. A menudo hay un hermano que sabe cómo apañárselas para salir siempre indemne y ¡que se las cargue el mayor!

¡Atención a las injusticias! Es lo que llevan peor y lo que les genera más rabia. Intenta ser ecuánime.

Hay que castigar por igual al que pega que al que insulta; al que ha empezado, como al que continúa. Ante una situación de este tipo, hay que separarlos y aislarlos para que reflexionen, se calmen y luego se pidan perdón. Es importante que se den cuenta de que lo que consiguen con esa actitud muchas veces es romper el juguete objeto de la pelea y, además, se pasan la tarde aburridos y separados. Hemos de conseguir que aprendan que por las buenas se consiguen muchas más cosas que por las malas.

Normas básicas entre hermanos

No pegar. Se ha de inculcar que no hay que pegar a nadie y mucho menos a un hermano. Luego uno siempre se arrepiente. Y, cuando lleguen a las manos, todos serán castigados, tanto el que se defiende como el que ataca. Porque si uno no quiere dos no se pelean.

No insultar. Se tienen que buscar palabras alternativas para descargar la rabia, y a un hermano se le debe tratar siempre con el máximo respeto.

Es más que un amigo, porque además de los juegos y media vida se comparte algo de vital importancia para un niño: los padres.

Primero pensar y luego actuar. Hay que enseñarles a ser reflexivos y darse cuenta de que las peleas son negativas, tanto para el que empieza como para el que continúa. Si piensa las consecuencias de lo que va a hacer se evita cantidad de problemas.

Hablando se entiende la gente. El diálogo es nuestra mejor arma para solucionar cualquier conflicto de manera positiva.

Pactar. Estableced turnos equitativos para todo y enseñadles a establecer pactos de antemano. Es mejor prevenir una pelea antes de que tenga lugar.

Pongamos un ejemplo. Nuria tiene dos hijos muy seguidos, de 6 y 4 años, Javi y Nacho. Ahora llevan una temporada en la que casi cada día se pelean por todo: por ver quién es el primero en apretar el botón del ascensor, en sentarse al lado de papá, en llegar, en elegir la película de vídeo... Se ha establecido una relación de competitividad tremenda entre Javi y Nacho. En algunas cosas Javi se aprovecha porque es más alto y Nacho no llega. Y en otras, Nacho gana a Javi. Las pataletas son tremendas y Nuria ya no sabe qué hacer, porque cuando no se enfada uno es el otro el que se tira por el suelo llorando.

La solución a esta situación ha pasado por establecer unos turnos, con ayuda del calendario y unos colores. A Javi le ha tocado el verde y a Nacho el amarillo. Los lunes, miércoles y viernes se han pintado de verde y los martes, jueves y sábados de amarillo. Así cada uno sabe cuál es su día, el que le toca ser el primero. Se acabaron las peleas, hay unas normas... y el domingo se descansa.

Cuando hay varios hijos, es obvio que hay que quererlos igual, pero también es importante tratarlos de manera diferente en función del lugar que ocupan: mayor, mediano, pequeño. A cada uno le corresponden unas responsabilidades y unos privilegios y la misión de los padres es equilibrar la balanza emocional para que ninguno se sienta discriminado. En definitiva, se trata de darles el mismo amor, pero diferente trato, ya que cada uno tiene distintas necesidades. Hay que conseguir que se sientan todos queridos por igual, orgullosos de su situación y comprensivos con sus hermanos.

Manual de instrucciones

El problema	Correcto	Incorrecto
Peleas	Si pasados unos minutos sigue la discusión, separaremos a los niños mandándolos a distintas habitaciones	Preguntar quién ha empezado y hacer de juez
Chivatazos	Decirle al niño que sólo quieres que te avise si uno de sus hermanos se hace daño y necesita ayuda	Evita escuchar los chismes, de lo contrario, el niño se acostumbra a llamar la atención de esa manera
Niños rebeldes	Cuando los niños se muestran desafiantes y protestones, te están enviando un mensaje en clave: necesitan mayor atención	Enfadarnos, castigarlos continuamente o estar menos tiempo con ellos
El mayor quiere ser un bebé	Tiene celos de su hermano pequeño. Hay que estar pendiente de él y valorarlo mucho por lo que es y lo que sabe. Hacerle partícipe	Ridiculizar su forma de actuar, y hacerle mayor caso a él y dejar de lado al bebé en su presencia

¿Cómo varía su personalidad en función del lugar que ocupan en la familia?

Primogénito. Es el primero, el que abre camino, con el que los padres aprenden a serlo.

Características: es más luchador, independiente y poco afectuoso.

Ventajas: privilegios especiales, mayor libertad, horarios más flexibles, menos protección. Tiene un nivel de autoestima mayor.

Inconvenientes: suele tener muchos celos de los pequeños y excesivas obligaciones.

Cómo tratarlo: no hay que pretender que crezca antes de tiempo. Hacedle ver las ventajas de ser el mayor. Es el primero que se incorpora a las actividades familiares. No creáis que, como es el mayor, no necesita mimos, él también los precisa.

Mediano. Siempre navega entre dos aguas; no tiene los privilegios del mayor ni los mimos del pequeño. Y ha de espabilarse para conseguir llamar la atención de sus padres.

Características: espabilado, pillo, manipulador.

Ventajas: ninguna, en relación a sus hermanos. Simplemente pasa desapercibido.

Inconvenientes: celos de las libertades del mayor y de los mimos del pequeño, desubicación, traumas. Lucha por destacar y a menudo no lo consigue o queda anulado por sus hermanos.

Cómo tratarlo: con paciencia, un plus de cariño y dedicándole tiempo, haciéndole que se sienta único, especial e importante.

Benjamín. Es el último en llegar y despierta todas las expectativas familiares. Se le encuentran todas las gracias y suele ser un niño muy deseado.

Características: es muy cariñoso y poco emprendedor.

Ventajas: es el centro de atención de toda la familia, con muchas menos responsabilidades y disfruta de la protección de sus hermanos mayores.

Inconvenientes: la sobreprotección.

Cómo tratarlo: no dándoselo todo hecho, evitando el exceso de mimos y ayudándole a tolerar las frustraciones.

Nuestro hijo es único e incomparable, centro de todas nuestras atenciones... hasta que vienen otros. Es entonces cuando, equivocadamente, nos empeñamos en tratarlo de igual a igual. No tiene nada que ver que los queramos a todos por igual, con castigarlos de la misma forma, cuando quizás uno es más sensible que otro y le afecta el doble que a su hermano. Para ser justos deberías conocerlos y valorarlos en sí mismos, no medirlos con el mismo rasero. Puede que uno se haya esforzado muchísimo y sólo haya sacado un aprobado y el otro sin pegar ni sello, un notable. Las recompensas deben ajustarse al esfuerzo realizado más que al resultado obtenido.

Cada hijo posee unas habilidades características y, además, son diferentes por el simple hecho de haber nacido antes o después que los demás y, aun queriéndolos a todos por igual, debemos conseguir que acepten con normalidad las diferencias que les vienen dadas por su posición en la línea de descendencia. Porque, no hay que negarlo, esas diferencias existen. De hecho, la condición de mayor, mediano o pequeño interfiere considerablemente en la formación del carácter y condiciona de forma evidente la personalidad del niño.

Cuanto menor sea la diferencia de edad entre ellos y si, además, son del mismo sexo, mayor es la posibilidad de que surjan celos, disputas y comparaciones. Por lo general, el mayor sentirá envidia del cariño que dispensamos al pequeño, el mediano no sabrá muy bien cuál es su sitio y el benjamín se enfadará porque no le dejamos hacer las cosas que consentimos a sus hermanos.

Por ello, porque cada uno tiene su propia problemática, debemos darles un trato personalizado. No es fácil, pero sí necesario, darle a cada uno lo que necesita para que todos se sientan felices. Todos han de sufrir frustraciones y gozar de recompensas en función de su rango y, lo que es más importante, ser capaces de aceptar unas y otras. Han de aprender a respetar el cumpleaños de cada uno. A nadie se le ocurriría hacerles regalos a todos para que no tengan celos, ¿verdad? Cada uno tiene su día y, cuando le toca, los demás han de aprender a compartir la alegría del hermano.

Es muy importante aprender a diferenciar a nuestros hijos, valorarlos individualmente y evitar establecer comparaciones entre ellos. Hemos de intentar omitir frases del tipo: «Mira que eres tonto. Suerte que tu hermano no lo es». En realidad la palabra «eres» debería estar borrada del vocabulario de los padres. Es mejor decir «lo que has hecho no está bien» que «eres malo». Y, sin embargo, ésa es una frase que decimos mucho. Podemos dañar seriamente a un niño en su autoestima si continuamente lo acosamos con frases del tipo «eres malo», «eres feo», «eres tonto», y, mucho más, si al decirlo lo estamos comparando con sus hermanos.

Hemos de ser coherentes, ésta es una de las reglas de nuestro método. Muchos padres, por Navidad o Reyes, compran los juguetes iguales. Este año toca las bicicletas, y cada uno recibe la suya. Al siguiente son los patines en línea... y lo mismo. Y no se detienen a pensar que sus hijos tienen edades y gustos diferentes y que, al respetarlos, estamos siendo más justos que regalándoles algo que a uno le entusiasma y al otro «ni fu ni fa». Además, la igualdad luego no se generaliza a otros campos, porque, por ejemplo, al peque se le consiente que duerma en la cama de los papás y a los otros, no. ¿Cómo se entiende?

Hacemos diferencias con según qué cosas, pero no hay un baremo ecuánime. La realidad es que todos nuestros hijos, tengan o no hermanos, deben dormir en sus respectivas camas, comer en sus respectivas sillas y recibir los regalos que corresponden a su edad y a sus gustos particulares. Han de aprender a respetarse en sus diferencias y a compartir lo que es de todos, asumiendo que cada uno ocupa un lugar dentro de la familia, que viene asignado por el nacimiento, y que, por tanto, depende del azar. Aprender a aceptar las cosas tal como vienen desde pequeñitos es fundamental para una buena inserción social cuando sean mayores, y los padres han de ser los principales promotores de este desarrollo equilibrado.

Privilegios del mayor

Los primogénitos son los que abren camino, los que pagan la inexperiencia de los padres, los que aprenden con ellos, los que tienen que pelear por todo porque nadie lo ha hecho antes. Los que vienen detrás lo tienen todo trillado. Por eso suelen ser más luchadores e independientes. A todos los hermanos mayores les toca vigilar a los pequeños, acompañarlos al colegio, ir a comprar el pan, etc.

Por eso los padres, considerando los inconvenientes que conlleva su papel, hemos de pensar en compensarles con algún privilegio que les esté vetado a los otros hijos. No estaría mal dejarles ver alguna película que sus hermanos todavía no pueden ver o darles una propina. Pequeñas cosas que les hagan sentirse reconocidos.

Mucho ojo, sin embargo, en el terreno afectivo. Demasiadas veces cometemos el error de exigirles mucho y sobreproteger a los pequeños, olvidando que, aunque sea mayor, sigue siendo un niño y necesita igualmente su cuota de mimos y cariño. De lo contrario, puede presentar conductas de imitación de sus hermanos, haciéndose el pequeño –regresiones– , como respuesta a su necesidad de afecto. No queramos hacerle crecer demasiado rápidamente.

¡Atentos al mediano!

El mediano suele ser más problemático y, por lo general, el más perjudicado en el reparto afectivo. Nunca ha sido el mayor y es el pequeño por poco tiempo. No disfruta de las posiciones de los demás y siente muchos celos, tanto del mayor como del pequeño. Se siente descolocado, sin un papel claro y ventajoso dentro de la estructura familiar. Para ellos es un trauma no superar nunca al mayor ni ser querido como el benjamín. Por ello suelen ser más espabilados y manipuladores en su afán de llamar la atención, de hacerse ver.

Hay que estar un poco más por ellos, tener paciencia y darles cuanto más cariño mejor. Es muy pedagógico recordarle y resaltar los aspectos positivos de su personalidad y hacerle sentir importante. Se le puede decir: «Como tu hermano es el mayor, que se quede vigilando al pequeño mientras tú te vienes conmigo y me ayudas a hacer un recado importante, ¿vale?». Éste sería un ejemplo de cómo tratarlo y hacerle sentirse especial.

No malcriéis al benjamín

Los pequeños acostumbran a ser los más mimosos de todos y también los más vagos. Ellos solos, sin hacer nada especial, ya son el centro de todas las atenciones y acaparan la mayor parte de los mimos tanto de los padres como de los abuelos o tíos. Ésa es su gran ventaja, pero a veces es también su mayor inconveniente. Es mejor la sobreprotección que la falta de cariño, pero ningún extremo es bueno.

149

Hay que despertar en él la capacidad para aceptar las frustraciones. Si llora porque sus hermanos mayores se van al parque de atracciones con papá y él se queda en casa, hay que hacerle ver que él tiene la ventaja, por ejemplo, de quedarse en casa cuando sus hermanos tienen que levantarse pronto para ir al colegio.

Algo no va bien. Cómo detectar si nuestro hijo está sufriendo, con o sin motivo

No olvidemos que su percepción de la realidad no suele coincidir con la misma. Ellos ven las cosas a su manera y, a veces, sin querer, les hacemos pasar un mal trago. Como norma general, los signos o síntomas psicosomáticos son los que nos dan la pista de que algo no marcha bien. Cualquier cambio de conducta puede ser una pista. Un niño comilón, de repente, pierde el apetito o uno estreñido ahora todo el día está con diarreas y el pediatra no consigue averiguar la causa. Javier jamás había tenido un escape nocturno y ahora no hay noche que se levante seco. O María, una niña que no había suspendido nunca, ahora tiene un rendimiento escolar muy bajo.

Los niños todavía no han aprendido a exteriorizar sus sentimientos y mucho menos a verbalizarlos. Podríamos decir que ni ellos mismos saben lo que les ocurre. Pero la verdad es que en algunas circunstancias, como separaciones, cambios de colegio, de canguro, nacimiento de hermanitos, lo pasan fatal y cada uno lo vive de manera diferente según su sensibilidad y su carácter.

Lo que está claro es que mientras todo lo que pase a su alrededor no afecte a sus funciones fisiológicas –comer, dormir, control de esfínteres– todo va bien. Si sucediera lo contrario, nos encontraríamos ante una regresión psicológica. Se aplica este término cuando nuestro hijo comienza de repente a adoptar conductas propias de niños más pequeños; es decir, se le escapa el pipí, tiene pesadillas, no tiene hambre... Existe un cambio evidente. Eso significa que algo le está afectando en el plano emocional, se siente inseguro de sus afectos, desprotegido, duda de que lo quieran; en resumen, lo está pasando fatal y eso se evidencia a nivel físico.

Otro de los estados típicos de esta situación son los miedos y la ansiedad que se producen en los pequeños. La angustia ante la separación de la madre, el rechazo a ir al colegio o la verdadera fobia que desarrollan algunos niños a ir a la guardería son normales hasta cierto punto.

Conviene saber cuándo debemos preocuparnos realmente. Tres pistas

La frecuencia con que el niño se angustia. Es normal que suceda en el momento de dejarlo en el colegio, pero no si le sucede varias veces a lo largo del día.

El tiempo que dura. No todos los niños reaccionan igual y el tiempo de duración varía de un niño a otro. Sin embargo, no debe alargarse más de algunas semanas.

La intensidad de la angustia. El límite preocupante de esa ansiedad se traspasa cuando ésta se traduce a nivel fisiológico: vómitos, dolores de cabeza, dolor de barriga... sin ninguna causa orgánica.

Cómo puedes reconocer en el niño un estado de ansiedad

Síntomas psicosomáticos	Trastornos asociados
Vómitos	Miedo a la oscuridad
Dolor de tripa	Trastornos del sueño, pesadillas
Dolor de cabeza	No le gustan los grupos de gente
Nerviosismo, irritabilidad	Miedo a enfrentarse a los demás

Cuando se da uno de estos síntomas aislado no significa mucho más que una reacción normal ante una situación que todavía no controlan. Sin embargo, cuando se dan tres síntomas juntos sí debemos tomar cartas en el asunto. Es importante anotar estos cambios en nuestras tablas de reacciones para comprobar cómo se va adaptando a las nuevas situaciones.

¡Ayúdame papá!
Los niños ansiosos buscan la protección de sus padres ante situaciones nuevas. Con todo cariño y sin que se sientan abandonados, hay que procurar fomentar su independencia. Unos niños tienden más a la ansiedad y otros se inclinan por la timidez, pero en ambos casos es de vital importancia la actitud de los padres. La ansiedad se hereda pero también se contagia, así que no expreséis en voz alta vuestros miedos. Con los suyos ten-

CUADRO DE REACCIONES: Niños de 3-6 años

Nombre: _____

Estímulo	Reacción hi
• 1.er día de guardería	
• 1.er día imitando a mamá	
• Sus primeros celos	
• Sus primeros dolores de barriga = nervios	
• Sus primeros miedos	

Edad: _____

	Valoración + / −	Reacción padres	Valoración + / −

drá suficiente. Vuestra tarea es conseguir que esa parte de su carácter no les haga sufrir.

Cómo romper la cadena

Los padres tienen un papel determinante en la mayoría de las reacciones de sus hijos. Y algunas actitudes educativas extremas es mejor que sean moderadas. En el término medio encontraremos el mejor camino para ayudar a nuestro hijo. Aunque la mayoría de veces se trata de actitudes inconscientes, es decir que los padres no tienen esa intención, el niño, sin embargo, interpreta que sí lo hacen con intención.

La reacción de los padres ante este tipo de situación ha de ser de serenidad y seguridad. Para que tu hijo pueda atravesar esta etapa con éxito debes estar a su lado, confiando en que de tu mano superará sus miedos. Es importante que le transmitamos la comprensión de sus miedos y nuestra seguridad en que los podrá controlar sin problemas. Ya que para que algo que nos produce ansiedad deje de hacerlo, se tiene que vivir, hay que pasar por ello para comprender que no sucede nada.

Diez consejos prácticos para que supere la ansiedad

1. *Ayudadle si os tiene cerca*. Ante una situación nueva o ante cosas que no ha visto nunca, como por ejemplo un animal, mantén el contacto físico con él, cogiéndole de la mano o en brazos.

Padres protectores	Padres superexigentes
Sobreprotegen al hijo Le dan permiso indiscriminado para todo	Tienen unas expectativas desmesuradas depositadas en el niño Lo quieren todo perfecto
Consecuencias Le transmiten miedo e inseguridad en sí mismo	Le provocan miedo al fracaso y no responde como se espera de él
Actitudes positivas Dar mayor autonomía al niño	Respetar el carácter del pequeño, pensar que tiene que tener responsabilidades adecuadas a su edad

2. *Sed sinceros*. Debéis despediros claramente de vuestro hijo, aunque sepas que montará un número. Si desaparecéis sin decir adiós, se sentirá desamparado. Las despedidas han de ser cortas, ya que si se alargan demasiado son contraproducentes.

3. *Inspeccionad el terreno juntos*. Visitar la escuela o el lugar a donde irán de colonias antes de que vayan solos es una buena idea, porque a ellos les ayudará pensar «aquí estuve con mis papás» y se ubicarán mejor.

4. *Dejadle que lleve su juguete preferido*. Llevar consigo un muñeco o un coche en la cartera puede conseguir que no le cueste tanto esfuerzo ir al cole. Llevar algo suyo de su casa le hace sentirse más próximo y más seguro.

5. *Fomentad su independencia*. Es fundamental que vuestro hijo se vaya sintiendo poco a poco más seguro, así que hay que dejar que investigue y que se vaya atreviendo a hacer cosas nuevas. Mientras, le podéis vigilar a distancia, sin intervenir.

6. *Procurad que tenga consigo algo conocido*. Cuando le cambiamos de entorno, vamos a un hotel o le dejamos a dormir en casa de los abuelos puede llevarse su lámpara, su cojín o un pañuelo empapado de la colonia familiar... Pequeños amuletos con los que sentirá que está en contacto con su entorno familiar.

7. *Explicadle el lado bueno de las cosas*. Siempre con su nivel de lenguaje, procura mostrarle el lado positivo de, por ejemplo, una visita al pediatra, diciéndole: «Te curará y no te hará daño». De esta manera le estáis dando referentes.

8. *Sed firmes, pero aprended a ceder. Más difícil todavía*. Negociad con él para disipar sus miedos. Si no soporta quedarse solo, proponedle una espera de tres minutos sin vosotros y cumplidlo. Poco a poco podréis ir aumentando el tiempo de espera porque él confiará en vosotros y sabrá que no pasa nada.

9. *No le engañéis ni hagáis cosas a sus espaldas*. Ese tipo de situaciones le genera mucha ansiedad. El sentirse engañado tiene un mensaje subliminal muy per-

judicial para el niño, ya que él interpreta «como tus padres creemos que eres tonto, te tomamos el pelo».

10. *Dejadle participar.* De esta manera se implica y pasa a formar parte de la familia y de las decisiones del grupo.

Tercera parte

Niños de los 6 a los 12 años

El razonamiento es la base. Hay que llegar a acuerdos

Tu niño ya no es tan niño, entra en una fase en la que el pensamiento tiene un papel preponderante. Casi le puedes hablar de tú a tú, pero sin olvidar que sigue siendo un niño. Hay momentos de gran estabilidad, de los 6 a los 10 años, y momentos de grandes cambios, de los 10 a los 12. La transición puede pasarnos desapercibida si no estamos atentos y, aunque parezca que ya lo hemos conseguido, aún nos queda mucho por andar y muchos ladrillos que poner.

Negocia su independencia emocional

Tu hijo ya piensa de forma parecida a los adultos y pide explicaciones por todo. Pronto os daréis cuenta de que vuestro mocosete no se conforma con las mismas explicaciones que antes y empieza a reivindicar sus derechos y a compararse con sus hermanos. «¿Por qué a él le dejas y a mí no?» «¡Todos los niños lo hacen!»

Aparentemente parece que controlamos más la situación porque ahora los enfrentamientos entre padres e hijos ya no se basan en los lloros y las pataletas, sino en airadas discusiones dialécticas. Ya no les puedes engañar con un «luego... espera un minuto»:

antes se olvidaban, pero ahora te cronometran. Se pasan el día esperando a que metas la pata... para echártelo en cara. «Ves, me habías dicho que... y no lo has cumplido.» En este momento, la coherencia es vital e imprescindible.

Un ejemplo típico de esta edad. Un padre le dice a su hijo «Vístete que nos vamos», y cuando están a punto de salir aparece el niño perfectamente vestido pero descalzo. El padre se enfada: «¿Cómo es que todavía no estás vestido?», a lo que el niño responde: «Sí que lo estoy, papá». «Pero qué dices, si vas descalzo», responde el padre. Y he aquí la irónica respuesta del hijo: «Sí, papá, estoy vestido. Lo que no estoy es calzado, porque tú no me lo has dicho». Con lo que desarma completamente al más pintado. ¿Qué se ha hecho del angelito obediente de antaño? Pues simplemente que ha crecido y está aprendiendo a utilizar su potencial intelectual.

A esta edad les encanta usar sus recursos intelectuales para sacarnos de nuestras casillas, de una forma intencionada. Nuestro niño ya ha dejado de ser un bebé y empieza a mostrarnos su propia manera de hacer las cosas. Ya tiene suficientes recursos tanto emocionales como intelectuales para enfrentarse a nosotros, casi de igual a igual. Ya no le valen los mandatos, pide razonamientos, pero, cuidado, a esta edad, en la que empezamos a disfrutar y a compartir cosas con ellos, no podemos relajarnos.

La autoconfianza del niño no surge por arte de magia. La actitud de los padres tendrá mucho que ver con su capacidad para independizarse. Para un niño a partir de los 6 años, ser independiente significa arriesgarse, probar, investigar y disfrutar de los descubrimientos sin tener que estar pendiente de complacer a los adultos que le cuidan. Lo contrario, obligarle a buscar la aprobación de papá y mamá a cada instante, le impide desarrollar sus capacidades, su creatividad y su particular sentido del mundo que le rodea.

Dejar que se invente sus propios caminos es muy bueno para el niño, aunque eso no significa que tenga «carta blanca» para hacer todas las trastadas que se le ocurran, por mucha gracia que nos haga. Aceptar que vuestro hijo se está haciendo mayor y se va independizando de vosotros, no significa que debáis empujarle a que se salte etapas. No hay que correr, cada cosa a su tiempo. Todavía seréis durante un tiempo su punto de referencia, y sus deseos de independencia se mezclarán con una fuerte necesidad de que estéis presentes y de recibir manifestaciones de cariño, aunque no las pidan y en público parezca que las rechacen.

Todo lo que va descubriendo en el mundo exterior (problemillas con los amigos, ayuda en los estudios) lo coteja con vuestras opiniones. Y a menudo repite vuestras mismas palabras cuando habla con sus amigos. Todavía no tiene demasiadas ideas propias y éstas las va creando, cogiendo un poco de aquí y un poco de allá. Es tan importante mantenerse a su lado sin agobiarlo como dejarlo volar poco a poco, para que vaya teniendo sus propias experiencias, su intimidad, sus amigos y su tiempo para ir asimilando todo lo que descubre.

Por parte de los padres, hay que evitar caer en el error de preguntarlo todo, pero es importante estar ahí cuando llega, para que os pueda explicar y compartir sus vivencias.

Lo que hay que hacer

Observa los cambios y los logros de tu hijo en función de su crecimiento.

Habla con él.

Confía en sus posibilidades y recursos para resolver problemas acordes con su edad.

Participa en sus experiencias.

Elogia sus descubrimientos.

Deja que haga las cosas a su modo.

Sé un espejo positivo en el que pueda mirarse y sentirse satisfecho.

Demuéstrale que lo quieres incondicionalmente y que estás orgulloso de él.

Estimúlalo para que pruebe cosas nuevas sin temor a correr riesgos.

Lo que hay que evitar

Enfadarte con tu hijo cuando te explica algo que no te gusta, porque dejará de confiar en ti y pueden aparecer la mentiras.

Compararlo con amigos o integrantes de la familia.

Hacerle cosas que puede realizar él solo.

Impedir que exprese sus deseos.

Prohibirle que pregunte «¿por qué?».

Decidir quiénes serán sus amigos.

Tratarlo como un ser parcial o no tener en cuenta sus opiniones por ser pequeño.

No darle opciones para que resuelva cosas por sí mismo.

Marcar unos objetivos adecuados a su edad, según la tabla adjunta.

Una actitud relajada y amorosa, aceptando al niño tal y como es, es siempre la mejor alternativa para que crezca a su propia velocidad. Sin embargo, a esta edad, los padres pueden adoptar tres posturas diferentes respecto al niño, en función de las cuales se determinará en gran medida el grado de independencia de éste.

Postura precavida. Los padres intentan evitarle cualquier situación peligrosa y ven peligros por todas partes. Poco a poco le van cortando las alas por miedo a que le pase algo. Esta postura tiene dos inconvenientes: primero, se le transmite miedo al niño y se le crea inseguridad y falta de confianza en el entorno; y, segundo, que de manera subliminal se le está mandando un mensaje de falta de confianza en sus propios recursos.

Postura sobreprotectora. Proteger en exceso a tu hijo no significa cuidarle o quererle más. Este exceso de celo suele ser una carga para el niño, a menudo demasiado pesada. Y lo que conseguimos es que inhiba sus impulsos y se encierre en sí mismo. Para sociabilizarse e interesarse por el mundo exterior es necesario estar

TABLA DE INCENTIVOS: Niños de 6-12 años

Días del mes/semanas

Objetivos de comportamiento	1.ª	2.ª	3.ª
Colaborar en tareas de la casa (asignarle dif.)			
Responsable de sus objetos personales			
Higiene personal (dif. aspectos)			
No enfadarse			
Aprender a controlar la lengua (no contestar)			
Reflexionar antes de actuar			
Ordenar su habitación			
Ser puntual			
Cumplir con sus obligaciones			

4.ª	5.ª	6.ª	7.ª	8.ª	9.ª	10.ª

tranquilo con uno mismo. Si observas que tu hijo tiene expectativas y objetivos demasiado pequeños para su edad, tal vez estás interfiriendo mucho en su desarrollo. Intenta dejarle campo libre y observa cómo reacciona. Seguramente recibirá esa nueva actitud como una bocanada de aire fresco.

Postura ansiosa. La ansiedad que sienten los padres no siempre se manifiesta de la misma forma. A veces, puede tratarse de actitudes como no reconocer los méritos del niño, su esfuerzo en conseguir lo que desea o bien exigirle perfección en todo lo que hace. En otros casos, la ansiedad puede estar disfrazada de competitividad. Tiene que ser más inteligente, más listo y más rápido que los otros niños. Hay que tener en cuenta que todo esto el niño lo percibe claramente y que es agobiante para él.

Las primeras mentiras

Suelen aparecer en cuanto empiezan a dominar el lenguaje. Surgen primero como una confusión entre la realidad y la fantasía cuando son muy pequeños y nos sorprenden explicándonos extraordinarias historias inventadas como si fueran reales. Hasta aquí, todo va bien.

Para considerarlas mentiras ha de existir una intencionalidad consciente de que se está haciendo algo mal a propósito. Sin embargo, eso no surge hasta que no son un poco mayores, y hemos de distinguirlo de situaciones bastante frecuentes, que en la mayoría de los casos provocan los adultos.

Veamos una situación de este tipo. Inma, la mamá de Lucía, está desesperada porque tiene prisa y no encuentra su pañuelo preferido. Ni corta ni perezosa decide increpar a su hija del siguiente modo: «Lucía, ¿me has escondido el pañuelo? ¡Como me lo hayas tocado te las vas a cargar! Lo necesito ahora mismo. ¡Búscalo!». Ante esta situación, Lucía, que acaba de cumplir 7 años, asustada por el enfado de su madre, niega categóricamente que sepa nada del pañuelo de su madre. En realidad, se ha pasado la tarde jugando a disfrazarse de mamá con el pañuelo en cuestión y sin querer se le ha caído detrás de la cama. Cuanto más se enfada su madre («¡dime la verdad!», le chilla ésta muy nerviosa), más se bloquea la niña y, paralizada, sólo niega con la cabeza.

Esta reacción es absolutamente normal: es el instinto de supervivencia que la impulsa de un modo inconsciente a evitar una situación conflictiva.

Si Inma, en lugar de perder los papeles, debido a una circunstancia de presión externa, mantiene la calma y con la mejor de sus sonrisas le propone a Lucía un juego: «Cariño, vamos a jugar a la Búsqueda del Tesoro y la que encuentre el pañuelo que ha perdido mamá tendrá un premio», la reacción de la niña será entonces de correr a buscar el pañuelo donde ella sabe que ha caído y, a los dos minutos, mamá habrá recuperado su pañuelo y la sonrisa, sin haber perdido los nervios. La niña estará encantada, esperando su recompensa, y habrá aprendido que, colaborando y con una actitud positiva, todo sale mejor. Ésta es una pequeña astucia en la que se puede comprobar que si le das la vuelta a la situación y ofreces la oportunidad a los niños de actuar en positivo, ellos la cogen al vuelo.

¿Qué ocurre si nos hemos saltado esta fase y nos encontramos con un niño ya más mayor, entre diez y doce años, con una facilidad pasmosa para enredarte y explicarte una cosa por otra, pasándole el muerto a otro?

Hay niños que por rutina se acostumbran a mentir. Intentan dar una imagen de lo que no son y acaban creyéndosela. El inconveniente de este comportamiento es que una mentira lleva a otra y, al final, se ha generado tal bola que resulta fácil meter la pata. Así que el niño está en permanente estado de alerta y tiene compinchados a amigos y hermanos, que le hacen de tapadera.

El problema suele surgir por una incapacidad para aceptar la realidad y el miedo a las consecuencias de sus propias acciones. «Como sé que mamá no me dejará ir a tal sitio, no se lo digo y lo hago.» Y, mientras no se entere, no pasa nada.

La actitud más pedagógica en este caso consiste en sorprenderlo si sospecháis que os está engañando y que ha hecho alguna trastada a vuestras espaldas. Mantened una conversación entre vosotros, los padres, en vuestra habitación, pero con la puerta entreabierta, como si quisierais que no os oyera pero asegurándoos que sí lo hará. «¿Qué te parece, cariño? Creo que ya es hora de que dejemos a Carlos que vaya solo a aquel sitio; se está portando muy bien y es un chaval muy responsable.» «Sí, me parece estupendo. Se lo merece.» Al escucharos, Carlos se quedará estupefacto y se dará cuenta de lo tonto que ha sido al no ser sincero con vosotros. Al ver que sus padres confían en él, intentará corregir su conducta y confiará en vosotros, cambiando su forma de pensar. A menudo acciones indirectas de este tipo tienen efectos sorprendentes sobre comportamientos difíciles de abordar directamente.

- Mantén la calma y dale la vuelta a la situación, así se consiguen mejores resultados. La consigna es: «el buen rollo genera buen rollo».
- Los gritos, enfados, amenazas y castigos, normalmente, generan reacciones de miedo y evitación.

Deberes, deportes y tiempo libre...
¿Debemos dejarles elegir?

Ésta ya es una edad en la que empiezan a elegir y a tener sus propios gustos. Os machacan con la típica frase de «no quiero ir al cole», o «quiero quedarme en casa», etc. Una de las decisiones más importantes en este período es la elección de la escuela adecuada para nuestros hijos.

A los 6 años dejan el parvulario y empiezan la escolaridad obligatoria. Los niños pasan muchas horas en el colegio y, por tanto, debe ser una decisión bien meditada, ya que además de los contenidos aprenden también las formas.

Los puntos básicos a tener en cuenta son:

– La personalidad del niño y la trayectoria familiar.
– Tipo de pedagogía: tradicional o moderna.
– Idiomas: bilingüe o monolingüe.
– Laica o religiosa.
– Privada, concertada o pública.
– Desplazamientos: cerca o lejos de la vivienda.

El niño debe sentirse a gusto en la escuela y ésta debe ser una continuidad del entorno en el que vive con su familia. Todos los padres queremos lo mejor para nuestros hijos y hemos de intentar compatibilizar su desarrollo integral.

Una buena educación académica no debe estar reñida con una buena formación humana. Nos hemos de plantear la siguiente pregunta: ¿Es incompatible la felicidad con la competitividad? Un niño competitivo se caracteriza por un alto nivel de conocimientos y una ambición desmedida; valora por encima de todo los logros materiales; su objetivo es ser mejor y más importante que los demás, sin importarle cómo conseguirlo. Sin embargo, un niño feliz es aquel en el que destaca una inteligencia emocional elevada, con una alta valoración de las relaciones interpersonales, y que intentará trabajar en algo que le permita compatibilizar sus gustos o aficiones con sus capacidades intelectuales, siendo su objetivo sentirse orgulloso de sí mismo. Dependiendo del colegio que elijamos fomentaremos uno u otro, y dependerá de la familia que se compensen para educar al niño dentro del equilibrio y la armonía. Los extremos siempre son perjudiciales. Hay que intentar combinar la sana competitividad con objetivos personales de autosatisfacción para generar una felicidad que no dependa de criterios externos.

Es importante que el ambiente escolar en el que el niño se ha de desarrollar se acerque lo máximo posible a su realidad social y familiar, ya que de lo contrario le costará mucho adaptarse y rendir al máximo de sus capacidades. Algunos padres deciden enviar a sus hijos a colegios que nada tienen que ver con ellos para darles la mejor formación y ello, a menudo, tiene el efecto contrario. Los niños entre 6 y 12 años lo único que quieren es ser iguales a sus compañeros y no destacar en nada, ni por arriba, ni por abajo, para poder integrarse en el grupo. Es muy importante para ellos ser uno más, y sentirse aceptado. Y esto es difícil cuando se es demasiado diferente. Por ejemplo: Cristian va a un colegio inglés pero en su casa nadie habla inglés y su cultura es autóctona. Además, tiene que atravesar toda la ciudad para desplazarse y por lo tanto es complicado que sus amigos vengan a jugar a casa. La mayoría de los alumnos son extranjeros y su lengua materna es el inglés. Ello le ocasiona serias dificultades porque él se ve diferente y le cuesta ir al colegio, por lo que pese a las buenas intenciones de sus padres, quizás este tipo de colegio no sea el adecuado para él. Lo mismo ocurriría si siendo en casa no practicantes le llevasen a un colegio religioso.

Así pues, el criterio básico ante este tipo de decisiones ha de ser el de la coherencia.

A medida que van creciendo sus opiniones se van haciendo más vehementes, no están de acuerdo con nuestras decisiones acerca de sus estudios o actividades, y quieren imponer su voluntad.

Obviamente hay que tener en cuenta su opinión, pero hasta un cierto límite. Hay una serie de cosas que hacen, no para pasárselo bien, sino para aprender y, por tanto, son innegociables, por ejemplo, el inglés, el colegio... y otras en las que podemos ser un poco más flexibles, como tenis, piano, fútbol o dibujo. No es bueno ni que lo decidan todo ellos, puesto que aún no están preparados, ni que les impongamos nuestras aficiones, ya que se trata de personalidades diferentes y a ellos les gustan otro tipo de cosas.

> **En esta etapa, hemos de desterrar nuestras estrategias anteriores; ahora de nada sirve jugar al despiste. Nuestros hijos exigen una explicación razonada de cada cosa y se imponen los PACTOS.**

Pero ¡atención!, ahora él o ella pueden levantarte la camisa fácilmente, por lo que es necesario anticiparse a sus peticiones. Con esto, lo que os queremos proponer es que los padres tengáis reuniones clandestinas para planificar vuestras acciones conjuntas. En este momento es de vital importancia una actuación conjunta. No todo debe ser imponer vuestro punto de vista, pero sí debéis tener claros cuáles son los puntos en los que no vais a ceder y los que sí.

Como referencia, las prioridades no se han de basar en la superficialidad. No vale la pena pelearse con un hijo de 10 años porque quiera vestirse de un modo determinado entre semana, siempre y cuando los fines de semana respete la indumentaria que vosotros le digáis. Sí, en cambio, vale la pena discutir por lo que hace, lo que dice y lo que estudia.

Pongamos por ejemplo a Ana: tiene 9 años y es el segundo invierno que hace inglés en horario extraescolar. Al empezar el curso se encontró con que varios niños con los que iba el año pasado lo habían dejado y empezó a poner pegas: «No aprendemos nada»; «El profe es un rollo»; «No quiero ir»... Su mamá, Carlota, empieza a flaquear. Sondea la opinión de varios padres y no sabe qué hacer: si ceder a los ruegos de su hija porque piensa que si va a disgusto no aprovechará el curso y cuesta mucho dinero, o mantenerse firme, pues piensa que con toda seguridad la niña se está dejando llevar por los amigos y que todavía es demasiado pequeña para saber lo que le conviene. Ante esta disyuntiva deberemos valorar la importancia de la actividad en el futuro del niño. Si los padres piensan que el inglés es necesario para su formación, deberán mantenerse firmes. En el caso de que no le den importancia o el dilema se plantee con una actividad lúdica o deportiva, podríamos hacer caso de los ruegos del niño. Tampoco es necesario que practiquen cualquier deporte (natación, fútbol, baloncesto, *ballet*) como si fueran profesionales si ellos no van a gusto.

El trabajo de observación de los padres puede ser de gran utilidad a la hora de ayudarle a decidir tanto sobre sus actividades extraescolares como sus *hobbies*. La tendencia natural del niño es básica para que la actividad desarrollada dé sus frutos. Si al niño le encanta lo que hace, tiene muchos más puntos para dedicarse más y, por tanto, para hacerlo mejor. Esto sirve por igual para los deportes como para cualquier disciplina artística o escolar.

La motivación es fundamental a esta edad. No podemos empeñarnos en que la niña toque el piano si a ella no le interesa en absoluto, aunque tenga talento. O que nuestro hijo primogénito toque el violín porque su abuelo le regaló uno cuando era más pequeño. A menudo, son más importantes los gustos y aficiones motivacionales que las habilidades del niño para que desarrolle la actividad que elija con éxito. Queremos decir con esto que nos podemos encontrar con un niño bajito al que le apasione el baloncesto y, en contra de opiniones y tópicos, éste se empeñe en conseguir su objetivo. Su interés y su constancia pueden suplir las dificultades o la falta de aptitudes físicas y puede llegar a ser muy bueno en una disciplina en la que, a priori, tenía todas las de perder. Otro caso sería una niña sin aptitudes para el canto, pero con un entusiasmo desmedido por aprender técnicas de vocalización y por la interpretación, que llegue a ser una gran cantante de ópera por el grado de emoción que transmite al público y lo depurado de su técnica, conseguida a base de esfuerzo y tesón.

El papel de los padres no es fácil en esta etapa porque sus directrices ya no tienen el protagonismo total: los hijos empiezan a volar, ya son independientes y pueden sorprendernos con sus inclinaciones y nuevos objetivos. Comienzan a tener claro lo que les gusta y lo que no y empieza a ser difícil disuadirlos o hacerles cambiar de opinión. En esta etapa se comienzan a tomar decisiones importantes, el estudio empieza a cobrar relevancia y a restar tiempo a las aficiones.

Se plantean situaciones difíciles, comienza a competir, a tomarse en serio y, por tanto, a dedicar más tiempo a cosas que hasta ahora sólo eran un pasatiempo. O, por el contrario, deja atrás algunas aficiones o intereses para emplear todo el tiempo en los estudios. A esta situación se llega alrededor de los 12 años, cuando se dan comienzo los estudios secundarios y empieza a despuntar en alguna actividad extraescolar. Puede ser el tenis, el fútbol, el piano, la música, la pintura, la gimnasia o la natación.

Son decisiones que cambiarán por completo la vida de vuestro hijo y, por tanto, arriesgadas. Hay dos opciones básicas. No arriesgarse y seguir el camino tradicional, el de los estudios convencionales, o lanzarse a la piscina y apoyar al niño en su elección. Obviamente esto último no puede hacerse a la brava porque vuestro hijo os necesita más que nunca. Necesita vuestro criterio imparcial, vuestro apoyo moral, vuestra perspectiva y, sobre todo, vuestro conocimiento de las características y personalidad del niño para realizar un buen pronóstico.

Uno de los problemas más habituales a esta edad, a la hora de enfrentarse a estudios en los que se requiere un mayor esfuerzo, es la ansiedad. ¿Cuántos niños se bloquean cuando su profesor/a les pregunta delante de la clase, y cuántos tartamudean, aunque seguramente se sepan la pregunta? ¿Es normal en una prueba escrita que algo que el niño se sabe de memoria, por nervios lo olvide y se quede en blanco? Detrás de estas situaciones se encuentra la ansiedad, ese sentimiento que surge de la inseguridad y que a menudo nos juega malas pasadas.

Los niños son los últimos en percatarse de lo que les pasa, ellos no saben identificar esta nueva sensación y son los padres los encargados de advertirlo y de poner soluciones. Frente a estas situaciones hay que morderse la lengua y evitar comentarios delante del niño. Ni compararlo, ni compadecerlo: «Claro, como es tan tímido, el pobre» o «Su hermano mayor sí que es inteligente».

El bloqueo emocional, es decir, quedarse en blanco, puede estar motivado por tres causas:

– Falta de control emocional.
– Temor a equivocarse.
– Falta de seguridad en sí mismos.

La manera de actuar será sensiblemente diferente según la causa. Sin embargo, existe una línea pedagógica básica que consiste en enseñarles a controlar su ansiedad. En la mayoría de los casos las situaciones nuevas provocan nerviosismo, y normalmente en los niños de esta edad se somatiza de manera visible. Los síntomas son evidentes: les sudan las manos, se ponen rojos, tienen ganas de ir al lavabo constantemente, etc.

– Las soluciones pasan por enseñarles a relajarse con ejercicios de respiración.

– Controlar la respiración de manera pausada para frenar el nerviosismo y los síntomas externos.

– Concentrarse en lo que les están preguntando, no en que no lo saben.

— Enseñarles a utilizar el cerebro: que aprendan a pensar aunque no se lo sepan, de manera que lo puedan relacionar con algo conocido, y bajo ningún concepto dejar la pregunta en blanco o no contestar.

Hay que arriesgarse: si razona la respuesta, aunque se la esté inventando algún punto conseguirá. La consigna es evitar el cero. Y, sobre todo, contener su ansiedad. Cuando el niño se pone nervioso los padres hemos de quitarle hierro al asunto y apoyarle confiando plenamente en él. Una situación típica para ilustrar estas situaciones sería la del padre que le pregunta la lección al hijo y éste se queda en blanco. Tiene un examen a la mañana siguiente y son las ocho de la tarde. Es natural que el padre se ponga nervioso. Pero se impone una táctica más sutil que la de sermonearle o reñirle porque a estas horas todavía ni se lo sabe: «Venga, seguro que te lo sabes, intenta explicármelo con tus palabras, no tal como lo pone en el libro». «Tranquilo, que yo te ayudo y verás cómo en un pispás lo tenemos controlado.» «A mí también me pasaba lo mismo cuando tenía un examen.» Con este tipo de frases y una actitud conciliadora es más fácil motivar al hijo. Sin darte cuenta le estás transmitiendo al niño el mensaje de confianza en sus posibilidades, y haces que el niño se crezca ante esta pequeña dificultad y la afronte sin miedo.

Ésta sería la actitud general para hacer frente a este tipo de problemas escolares: ayudarles a superarlos confiando en sus posibilidades.

¿Qué pasa con la realidad virtual?
¿Por qué se enganchan horas y horas?
Criterios que debemos seguir

El principal peligro de la realidad virtual es el «aprendizaje vicario» que lleva asociada. Este término, acuñado por los psicólogos americanos Bandura y Walters, explica el aprendizaje por imitación de los modelos que aparecen en la pantalla. Después de numerosos estudios concluyeron que este tipo de aprendizaje se da cuando:

— Coinciden la edad, el sexo y las condiciones del protagonista.

— Existe una relación entre la situación real y la ficticia.

— La acción representada y observada triunfa y no es castigada.

— Dependiendo del grado de susceptibilidad o identificación del observador.

Si controlamos de manera adecuada lo que ven, a lo que juegan, o por dónde navegan en Internet, ha de ser sin que ellos se den cuenta, de una manera no represiva, sino disuasoria.

Nuestro objetivo sería conseguir que ellos mismos sean capaces de regular sus aficiones. ¿Qué pasa si les prohibimos jugar o ver la televisión? Simplemente, que por estar prohibido lo convertimos sin quererlo en un objeto de deseo. Sin embargo, la autosaturación nos puede ayudar.

Los juegos de ordenador o consola los enganchan pero también los saturan. Es posible que, cuando sea una novedad para él, el niño no sea capaz de controlar su afición. Pero, antes que prohibírselo, hemos de ofrecerle alternativas más divertidas que le hagan olvidarse de ello: juegos de mesa, deportes, traer amigos a casa, organizar excursiones. Todo cansa y no hay que tener miedo a que se hagan adictos. Ningún niño se ha enganchado a los donuts, pero si los prohibieran, seguramente estarían todo el día pensando en comerse uno. Todo tiene su lado bueno y su lado malo.

Si sabemos cómo utilizarla, la tele nos puede servir a menudo de herramienta educativa. La regla de oro será limitar su uso: la exposición excesiva no es buena para el niño, tanto desde el punto de vista físico (fatiga visual, inmovilidad, posturas incorrectas, etc.) como mental (sobrecarga de información no asimilable), y es preciso evitar que el niño se acueste tarde por culpa de los programas de televisión, ya que ello le puede ocasionar trastornos del sueño.

— Es mejor no ver un programa que verlo incompleto. Es mejor grabarlo y verlo el fin de semana.

— Intentar no ver la televisión mientras se come o está la familia reunida.

— Verla juntos para poder comentar lo que no entiendan y controlar los anuncios, que a menudo se intercalan sin demasiado criterio.

— Elegir los programas o películas en función tanto de la edad como de las circunstancias emocionales.

— A un niño que acaba de perder al padre no le pongáis, por ejemplo, *El Rey León* o a uno que tenga pesadillas *El hombre invisible*.

Otro aspecto importante para tener en cuenta es el aislamiento y la pasividad que se genera si tenemos cinco teles y en casa viven cuatro personas, porque, evidentemente, la televisión se convertirá en un elemento aislador de la familia, y nuestro objetivo es justamente el contrario. Si sólo tenemos una tele, nos puede servir para enseñar a compartir y respetar tanto los gustos como el turno de cada uno de los miembros de la familia. Ver una película juntos y comentarla, mientras hacemos palomitas, puede ser igual de enriquecedor que ir de excursión todos juntos. Cuando queremos hablar de algún tema concreto y no sabemos cómo abordarlo, nada mejor que una película sobre el tema que nos preocupa para establecer un diálogo durante la cena.

Uno de los peligros más importantes de la realidad virtual es que ofrece la posibilidad de escapar de una realidad que no nos satisface y todo lo que proporcione un escape o huida, en lugar de coger el toro por los cuernos y solucionar aquello que no nos gusta, no es sano desde el punto de vista psicológico.

Un chaval o una chica de esta edad ha de aprender, como estrategia mental, a saber enfrentarse con la realidad y aceptarla tal como es, y no huir y esconderse en una ficción.

Los chats, a los que son tan aficionados, les dan la oportunidad de crear un personaje de lo que les gustaría ser y llevarlo a la práctica. Pueden vender una imagen y conseguir que la gente crea en ella, pero evita el contacto real con las personas de su edad, es una falsedad, aísla y crea una realidad engañosa que a menudo los confunde. Hay que ofrecerles alternativas, no darles opción a que se pasen el sábado por la tarde chateando o enviando mensajes por el móvil.

A esta edad conviene tener los fines de semana organizados y llenos de actividades que los tengan ocupados tanto física como mentalmente. Ya sabemos que eso conlleva un gasto extra, algunos sacrificios, renunciar al descanso y a la tranquilidad... pero se trata sólo de una etapa. Podemos organizarles excursiones en bicicleta, acampadas, partidos de fútbol o baloncesto o ir a esquiar; protestarán, seguro, pero luego se divertirán y lo pasarán bien. No hay que preguntárselo sino ir por delante y dárselo hecho. Lo importante es que tengan algo que hacer y que les obligue a mantener el ritmo de levantarse pronto que tienen durante la semana. No hay que bajar la guardia; se les ha de demostrar que se lo pueden pasar muy bien haciendo cosas al aire libre, que así conocen gente y hablan, mantienen conversaciones y se ríen, y lo hacen de verdad, en el mundo real. El cine y el teatro son también buenas alternativas y si consiguiéramos que se engancharan a la lectura sería fantástico.

Realmente, planear actividades en familia implica una mayor dedicación organizativa por parte de los padres, justo en un momento en el que ya pueden hacer cosas solos y que parece que nos necesitan menos, pero eso es sólo una apariencia; ahora es cuando más necesitan de nuestra presencia y criterio.

A menudo empiezan a utilizar la excusa del ordenador para encerrarse en su cuarto, simplemente en busca de su intimidad. Tienen necesidad de su espacio privado, que hay que empezar a respetar, y es el momento de llevar un diario y de las confidencias. Todas sus cosas tienen llaves, códigos de acceso, pins, y todo es siempre secreto.

Está bien que demanden privacidad e intimidad y hay que respetarlo, pero también es necesario, por ejemplo, que controlemos sin que ellos lo sepan qué es lo que hacen cuando navegan por Internet y qué páginas son las que suelen visitar para evitar que accedan a informaciones no aptas para menores. Aunque no lo parezca, todavía lo son y vosotros, como padres, tenéis el derecho y la obligación de velar por su inocencia.

Sus argumentos ante esas situaciones suelen ser: «¡A mi amigo sus padres le dejan navegar sin restricciones... Confían en él!». A lo que no tendremos problemas en responder que cada familia es un mundo y las normas de cada casa son diferentes. Nunca dejéis, en contra de vuestra voluntad, que vuestro retoño haga algo porque los demás lo hacen, aunque sea una tontería. Porque lo importante no es lo que le permitáis hacer, sino los motivos.

> **Si le dejáis hacer algo porque lo hacen todos, de manera indirecta estáis justificando cualquier conducta por el simple hecho de que lo hace todo el mundo, eliminando, a la vez, toda posibilidad de independencia dentro del grupo de amigos y de tener criterio propio.**

Es una manera de actuar muy peligrosa, por las consecuencias que puede tener. Porque lo que aprende es que para vosotros es más importante la opinión de los demás y que, si todos lo hacen, hay que hacerlo también y no ser diferente. Es decir, la seguridad viene dada porque la mayoría opine de la misma manera. Con lo que estamos propiciando que nuestro hijo no sepa desmarcarse de lo que hacen sus amigos en un momento determinado. Creándole, además, una dependencia excesiva de las opiniones de los demás, en un momento en el que se sientan los precedentes de lo que será la adolescencia.

Así que mucho cuidado con este tipo de decisiones. A los 12 años empiezan a tener bastante independencia, van y vienen del colegio solos y hemos de estar seguros que no se dejarán llevar por el grupo hacia locales donde se conectan a Internet sin ningún tipo de control y tienen acceso a determinados juegos no autorizados a menores de 18 años por su extrema violencia.

Por ir a contracorriente, no haces a tu hijo un marginado, sino todo lo contrario: fortaleces la seguridad en sus propias opiniones. Y lo más importante que le hemos de transmitir a esa edad es que si él o ella no quiere hacer una cosa, porque le hace sentirse incómodo/a, no se ha de dejar llevar por sus amistades.

Identificación de roles. Miedo a crecer y rebeldía

A partir de los 6 años, los niños empiezan a tener claro que de mayores se parecerán a papá o a mamá, dependiendo de si son niños o niñas, y buscan desesperadamente un modelo con el que sentirse identificados. A menudo no coincide con el que tienen en casa y quieren parecerse al abuelo o al jugador de fútbol que admiran.

Por eso, es necesario que os tengan a su alcance, que os conozcan y que compartan charlas con vosotros para que aprendan cuál es el rol que desarrollarán de mayores. Sin embargo, los niños no siempre aprenden con el ejemplo, a veces lo hacen por antagonismo; es decir, «a pesar de» lo que ven en casa. O lo imitan o hacen todo lo contrario.

Síndrome de Peter Pan

Algo que sí está en nuestras manos, como padres, es evitar el síndrome de Peter Pan, el niño que no quiere crecer porque le dan miedo las responsabilidades. A menudo un padre o una madre demasiado perfecto/a, a quien el niño piensa que nunca va a poder igualar, podría ser la causa.

Cuando las metas que planteamos a nuestro hijo le parecen inalcanzables, se puede bloquear y enquistarse en comportamientos infantiles impropios de su edad: huye de las responsabilidades.

A esta edad, esta situación provoca la rebeldía del niño, cambia su comportamiento y empieza a hacer todo lo que sabe que no nos gusta, simplemente para provocar. Cuantos más sermones, peor. Parece que haga justo lo contrario de lo que le pedimos.

Cómo ayudar a nuestro Peter Pan

A menudo, sin darnos cuenta, perdemos demasiado tiempo en decirle lo malo que es y lo mal que se comporta. Alguna vez se nos puede escapar aquello de «yo, a tu edad, era muy buen estudiante» o «sabía comportarme adecuadamente», frases lapidarias donde las haya. Cortamos así cualquier posibilidad de que nos demuestre todo el potencial que lleva dentro, lo que comporta establecer una relación disfuncional tal como la describe el psicoterapeuta italiano A. Fiorenza. No es que los niños sean malos o complicados, sino que se establece una relación entre estos chicos y sus padres o profesores que no funciona, que está bloqueada: padres ansiosos, con demasiada atención sobre el niño, con demasiadas expectativas sobre él, sobreprotectores... y cuando una disfunción se afronta mal se convierte en un problema. Para solucionarla, el equipo de G. Nardone y P. Watzlawick ha elaborado la denominada Terapia Breve Estratégica. Este tipo de psicoterapia no busca el **porqué** de un comportamiento disfuncional; busca **cómo** frustrarlo o disolverlo mediante una serie de tácticas o estrategias muy innovadoras. Cuando el sistema relacional está bloqueado, simplemente promoviendo un pequeño cambio se puede iniciar su solución. Según A. Fiorenza, es muy pretencioso querer imponer una solución drástica: si atacas de frente el sistema se alerta, se acoraza y no hay resultados, pero si introduces un pequeño cambio, modificas las reglas del juego y éste deja de serlo; se descoloca al niño con lo que se consigue un cambio de actitud.

Veamos uno de los casos más representativos del centro de Terapia Breve Estratégica de Bolonia, el de una niña afectada de mutismo selectivo: Giovana, una niña de 7 años que en casa sí que hablaba, pero no en clase con sus compañeros. La niña estaba cómoda sin hablar y con la atención de la maestra insistiéndole en que hablase. Se perturbó el sistema introduciendo tan sólo un «pequeño cambio»: se le dijo a la maestra que cometiera pequeños errores al dirigirse a la niña y no diera lugar a que ella pudiera corregirla, mostrándose indiferente. «Giovana, qué bonita camisa blanca», le decía la profesora; y la camisa era rosa, pero se alejaba casi sin mirarla. La actitud de indiferencia de la maestra enfurecía a Giovana, que iba acumulando una frustración tremenda por los continuos «errores» de los que era objeto. Hasta que un día necesitó liberar toda la tensión y empezó a comentarlo con sus compañeros para ver si éstos se daban cuenta... y fin del mutismo.

CUADRO DE REACCIONES: Niños de 6-12 años

Nombre: _____

Estímulo	Reacción hijo
— Independencia	
— Primeros deberes	
— Realidad virtual	
— Autoestima	
— Comunicación	

_____ Edad: _____

	Valoración	Reacción padres	Valoración

Los resultados de este tipo de terapias son sorprendentes y nos demuestran cómo, a cada edad, conviene actuar de forma diferente. Aunque por norma siempre funciona mejor una estrategia que un enfrentamiento abierto. Y también nos serán muy útiles nuestras tablas de reacciones y comportamientos. Para poder aplicar una estrategia efectiva es necesario conocer a fondo tanto la personalidad, como las reacciones de nuestros hijos (ver tabla de reacciones). Crecer es un proceso que se inicia de manera individual, pero su aparición es variable en el tiempo; se puede dar precozmente, retrasarse o no producirse nunca. La maduración implica aprender a responsabilizarse de los deberes y errores de cada uno, aprender a ponerse en el lugar del otro, abandonar el egocentrismo propio de la primera infancia, aprender a comprometerse. Sin embargo, el entorno social actual que rodea a nuestros hijos parece que los empuja a ser eternamente niños, como le pasaba a Peter Pan, que se negaba a crecer.

En su lugar, sería muy formativo que le enseñáramos, desde el diálogo, sin enfados y colaborando con él, lo que pensamos como padres, beneficiándolo con nuestras opiniones. A la larga, no sólo aprenderá más rápido, sino que se sentirá mejor y más predispuesto a seguir nuestro ejemplo.

Hay que ser claros y no dejarse llevar por el estado de ánimo. Se deben mantener las mismas pautas en todo momento. Si un día le dejamos ver una serie de la tele y, al siguiente, perdemos la paciencia a la primera de turno porque estamos cansados y lo enviamos a su cuarto, el chaval no entenderá nada.

No tardemos demasiado en poner límites. A esta edad no comprenderá por qué antes se lo permitíamos y ahora no. Puede que cuando era un poco más pequeño nos hiciera gracia, pero ahora no lo soportamos. «Cuando tienen 2 o 3 añitos y te dicen con aquella cara de pillos "mamá, tonta" te ríes, sin embargo, ahora con 10 años, le partirías la cara.» Esto es no ser consecuente. No hay que esperar a que su actitud nos ponga a mil, las malas conductas se tienen que atajar a la primera de cambio. Además si le gritas y te enfadas, ¿con qué autoridad puedes pedirle a él que no lo haga?

Es difícil que, a estas alturas, no identifique cuándo estáis enfadados, pero sí es posible que no os tome en serio. Si lo habéis amenazado con cuadrarlo, pero nunca lo cumplís, vuestro hijo sencillamente no lo ha comprendido, porque los padres que dan segundas, terceras... o décimas oportunidades antes de entrar en acción no son tomados en serio.

También es posible que si mantenéis una actitud negativa general frente a cualquier conducta de vuestro hijo, él no sepa distinguir cuándo hace bien y cuándo hace mal. Decide «pasar de todo» y le da igual vuestra opinión porque siempre es la misma.

La clave está en poner las cosas claras, unas normas sencillas, concisas y coherentes, aderezadas de un espíritu positivo.

Rebelde... ¿sin causa?

Su modo de llevar la contraria varía a medida que va creciendo, pero mantiene un denominador común: la resistencia. Es importante descifrar cómo hemos llegado a esta situación y averiguar qué sentimientos se esconden en esa actitud rebelde, sin ganas de crecer y refugiándose en comportamientos infantiles impropios de niños mayores, de entre 10 y 12 años.

Vuestros esquemas seguramente no serán los suyos. Poneros en su piel os ayudará a tener una perspectiva más real. En esta etapa de su desarrollo es importante para vuestro hijo constatar que vuestro amor hacia él es incondicional y que le aceptáis tal como es. No pretendáis hacer de él una copia barata de vuestras ilusiones y objetivos: no tiene por qué compartirlos.

Hay que permitir que se encuentre a sí mismo, escucharlo, estar a su lado e intentar comprender y apoyar sus ilusiones, aunque no las compartáis. Hay que ayudarle a que no tenga miedo a crecer.

Formar una autoestima adecuada, la clave del criterio propio

Ésta es la parte más difícil de conseguir. Los chavales todavía no tienen un criterio propio formado, sino que lo van elaborando durante toda su infancia y pubertad. Y lo van poniendo en práctica cada día. Ahora es el momento de establecer sus derechos y deberes, y hasta dónde hay que exigirles.

Se define la autoestima como la necesidad de aprecio y valoración personal.

Uno mismo ha de poder construir valores como:

— Confianza en sí mismo.
— Seguridad.
— Iniciativa.
— Conocer las propias limitaciones.
— Aprender a pedir ayuda.
— Aceptar los consejos y las normas.
— Respetarse a sí mismo y a los demás.

Y en los demás han de poder encontrar valores como:

— Aceptación de su forma de ser.
— Contar con ellos.

— Ofrecerles tareas de responsabilidad a su medida.
— Valoración de sus pequeños logros.
— Establecer normas de cooperación.

Tanto la actitud como las expectativas de los padres hacia sus hijos modifican sensiblemente la imagen que éstos tienen de sí mismos, y éste es uno de los pilares básicos de la formación de la autoestima. Difícilmente un niño aprenderá a quererse a sí mismo si constantemente oye o percibe frases o actitudes negativas sobre él. La tendencia a etiquetar la personalidad de los hijos tiene una influencia muy negativa sobre un carácter en plena formación.

Tomemos el caso de Edu, un niño movido, curioso, que trae a sus padres y profesores de cabeza y que constantemente oye cómo su madre se refiere a él de esta manera: «Mi niño es un terremoto, puede conmigo, ya no sé qué hacer» o «Qué suerte tienes, tu hijo sí que es bueno». De la misma manera la profesora habla de él como: «Éste es el niño más difícil que he tenido» o «Siempre me alborota a toda la clase». Con este tipo de comentarios y etiquetado de niño terrible es muy complicado que Edu tenga una buena imagen de sí mismo. Él no sabe cómo es sino que se ve reflejado en la idea que los demás tienen de él, así que en función de las opiniones que oye se considera malo, puesto que hace la vida imposible a todos y actúa en consecuencia. Nadie le ha dado la oportunidad de demostrar todo lo bueno que lleva dentro.

¿Quieres saber cómo conseguir que tu hijo se sienta a gusto consigo mismo?
¿Cómo ayudarle a que tenga una autoestima elevada?

Aplica a la educación de **tu hijo la teoría de la Inteligencia Emocional,** una revolución científica que vincula el éxito personal a la capacidad de ser feliz y de controlar las emociones.

Aquí tienes cinco reglas que te pueden ayudar mucho en la tarea de estimular esta capacidad emocional:

1. **Quiérelo mucho.** Demuéstrale tus sentimientos; no vale sólo cuidarlo y darlo todo por sentado. El principal papel de los padres es educar, influir sobre sus hijos a través del trato diario, confiado y sin prisas. Juega con él, mímalo, acarícialo, achúchalo, no te limites a ser una buena madre. ¡¡Disfrútalo!!

2. **Dedícale tiempo.** Ya sabéis que vale más la calidad que la cantidad, pero sin pasarse. El mensaje que recibe el niño si ve que sus padres dedican más tiempo a tareas, personas o actividades que a él, es que no es importante y por eso no le hacen caso. Es necesario que seáis capaces de renunciar al partido de pádel o a ir al gimnasio para compartir unas horas con vuestros hijos. Ya sabéis: el roce hace el cariño.

3. **No le críes entre algodones.** Es pequeño pero no tonto. Querer intensamente a un hijo no significa facilitarle la vida e intentar que todo le salga perfecto con el mínimo esfuerzo posible. No se puede abusar de ceder

a todos sus caprichos, porque lo que se consigue es que el niño esté desmotivado. Hay que tener en cuenta que cuando un niño aprende a esforzarse y a luchar para conseguir algo, una vez lo logra la satisfacción que siente es mayor y muy educativa. Se siente orgulloso de sí mismo. Ha de tener unas normas y unos límites, con unos horarios establecidos para sus actividades. De esta manera sabrá lo que se espera de él en cada momento, sintiéndose más seguro de sí mismo y portándose mejor.

4. **Corrige, pero no humilles.** Para construir su amor propio, el niño sólo cuenta con los signos de aprecio que le llegan, y las desvalorizaciones, verbales o no, destruyen sus incipientes logros. Destierra de tu vocabulario la frase «qué malo eres» y sustitúyela por «qué mal te portas». Piensa que así no das por supuesto que el malo es él sino aquello que hace mal.

5. **Transmítele vuestros valores.** Con las actitudes, con las palabras, con los gestos, hemos de mantener un criterio de coherencia. No vale prometerles una cosa y luego olvidarnos, o hacer ver que no nos acordamos. Lo que se dice se cumple, y si no a morderse la lengua. Las consecuencias son nefastas, pues nuestros hijos crecen sin poder confiar en las personas que más les quieren, y en las que necesitarán apoyarse. Pero si no sabemos construir ese respeto y confianza mutuos, nuestra obra se irá al traste.

Hay que pensar que no somos la única fuente de aprendizaje: muchas cosas las viven y experimentan fuera de casa y fuera de la escuela. Y que, por tanto, los cimientos que podamos darles serán los pilares sobre los que se asentarán los siguientes aprendizajes emocionales. Hoy por hoy cobran una especial relevancia debido a la actual saturación de estímulos educativos y a la imposibilidad material de controlarlos o siquiera reconocerlos por parte de la familia e incluso del profesorado.

Así le afectan las emociones

Éste es un momento de su vida en el que va descubriendo e identificando los diferentes sentimientos y emociones: tristeza, alegría, nerviosismo, enfado, amistad, cariño fraternal... Afianza la confianza y el respeto. Empieza a entender conceptos abstractos como la muerte como parte del ciclo de la vida.

A esta edad, los niños pueden encontrarse en la situación de tener que afrontar la muerte de un ser querido e importante para ellos, como el abuelo o la abuela. Es fundamental dejarles presenciar y participar de la evolución de una enfermedad y ayudarles para que se puedan despedir del ser querido. Han de llorar la pérdida y tener un período de duelo para poderlo superar. En caso de accidente, es bueno que los niños redacten una carta de despedida, escribiendo sus sentimientos hacia la persona desaparecida. Olvidemos las frases lapidarias del tipo «los niños no lloran», o «es mejor no comentarlo con él».

Siempre hay que responder, a su nivel, a sus preguntas y dudas. Una metáfora muy útil para explicarle la muerte a un niño consiste en la metamorfosis del gusano de seda, cómo deja atrás el cuerpo inservible de gusano para convertirse en mariposa y volar. Las emociones, tanto las buenas como las dolorosas, hay que compartirlas con los hijos; es parte de su aprendizaje emocional.

La autoestima del niño se elabora en función de lo que ve reflejado tanto en el comportamiento como en los comentarios de los adultos hacia él. Autoestima significa el aprecio que se tiene por uno mismo, cómo se considera, la imagen que tiene de sí mismo en las tres esferas fundamentales del desarrollo infantil: la física, la intelectual y la personal. Es un concepto fundamental en su evolución, que va configurando a lo largo de su infancia.

La manera como lo traten los padres, familiares, profesores, amigos, y qué rol le asignen, le servirá para ir ubicándose y formándose una idea global de su personalidad. El niño a menudo confunde cómo le gustaría ser con cómo es. En el proceso de formación de la autoestima intervienen todos los comentarios que el niño escucha sobre su persona. Si un niño se ha pasado toda su infancia oyendo comentarios como «pobrecito, qué lento es» o «voy a ayudarle porque si no tardaremos un año en acabar los deberes» pensará que es lento, cuando puede que tuviera una madre sobreprotectora que no lo dejaba evolucionar.

Pensemos qué pasaría si todo lo que hemos explicado no se llevase a cabo y el niño creciera en unas pésimas condiciones para elaborar una autoestima adecuada o viviera alguna situación traumática (muerte del padre o de la madre, guerra, atentados, etc.) que le dificultara elaborar una personalidad equilibrada. ¿Estaría todo perdido? Según el psiquiatra francés Boris Cyrulnik no estaría todo perdido, ya que los niños tienen un mecanismo de defensa ante estas situaciones, llamado «resiliencia», por lo que a pesar de ellas y gracias a este instinto de supervivencia emocional las superan sin problemas ni secuelas. La resiliencia hace posible que una infancia infeliz no sea determinante en la vida del niño. En su libro *Los patitos feos* envía un mensaje de esperanza a todos los niños víctimas de desgracias. Según su teoría, un niño traumatizado psicológicamente no está condenado a convertirse en un adulto fracasado. No todo se lo juega antes de los 3 años, ni todo está decidido ya a los 6. La capacidad de los niños de adaptarse a las situaciones más difíciles y de salir de ellas indemnes hasta casi la adolescencia es asombrosa. Podríamos poner numerosos ejemplos pero quizá los más sorprendentes sean el de la famosa diva Maria Callas o el del mismo Cyrulnik, que consiguió escapar de un campo de concentración nazi a los 6 años, como en la película de Benigni *La vida es bella*.

La amistad

Uno de los factores que influye directamente en el desarrollo de la autoestima es la formación de amistades. Hasta ahora los amigos servían para compartir juegos y tiempo libre, y el único criterio de selección de éstos se basaba en «lo bien que me lo paso con fulanito». Sin embargo, a partir de los 10 años, hemos de ayudarle a distinguir y darse cuenta de lo que es un amigo de verdad y a diferenciarlo de un compañero de juegos.

Pautas para elaborar un criterio sobre la amistad y hacerle reflexionar sobre el tema

— Si un amigo sólo te busca para divertirse, pero, cuando necesitas ayuda con los deberes, acompañarte a hacer algún recado o algo aburrido, se escaquea, desconfía, no es tan amigo como creías.

— Si su amistad depende de su estado de ánimo y es variable, tampoco debes catalogarlo como amigo.

— La amistad es un sentimiento recíproco en el que hay que ayudarse y apoyarse mutuamente, además de compartir los espacios lúdicos.

— En los momentos difíciles se ponen a prueba las amistades.

— Un amigo sabe guardar un secreto y no traiciona tu confianza.

— La confianza y el respeto mutuos son imprescindibles.

Además de aprovechar cualquier situación para remarcar estos aspectos y contestar sus dudas y cuestiones al respecto, hay que ir dirigiendo indirectamente sus pasos en este camino para evitarle problemas posteriores. Todos sabemos que a nadie le sirve la experiencia de los demás y menos la de los padres, y que en muchas ocasiones hemos de dejar que se estrellen para que experimenten y aprendan la lección. Pero no sirve aquello de «no hay que meterse es su vida».

Los padres no podemos ser amigos de nuestros hijos; somos su guía, su apoyo, su punto de referencia y hemos de velar por sus intereses, tanto intelectuales, emocionales, como económicos. Les hemos de enseñar a administrarse, a sociabilizarse, a cultivar la amistad y a huir de las relaciones peligrosas. Para ello es imprescindible trabajar la autoestima y la capacidad de diferenciarse del grupo, para que, en los momentos cruciales, sepan decir «no». Y no hemos de esperar a la adolescencia, hay que empezar a poner ladrillos mucho antes.

Mafalda es una niña de 11 años que ha pasado por una situación delicada. Su papá ha tenido que cerrar el negocio y ahora se encuentra sin trabajo. Si la niña no ha interiorizado su autoestima en función de los valores personales y lo ha hecho, en cambio, dependiendo del «tanto tienes tanto vales», esta circunstancia afectará a su seguridad personal.

Ella estaba orgullosa de su padre y se apoyaba mucho en el estatus económico. Sus amigas la aceptaban en su grupo porque era una «niña bien» y cumplía una serie de requisitos sociales. Vivía en una bonita casa, tenían un gran coche, vestía a la moda... y, de repente, se han de estrechar el cinturón temporalmente hasta que se arregle la situación.

Mafalda se siente abrumada y no sabe qué cara poner, tiene miedo de que sus amigas la rechacen y de sentirse inferior. Su opinión es muy importante para ella y llora desconsoladamente por las noches. Aunque la situación seguramente se arreglará, se trata de realizar pequeños ajustes.

Evidentemente, en cuanto las amigas se enteran de la situación, la mayoría le vuelve la espalda, con frases del tipo «cuando soluciones tu problema volverás al club», pero tiene también gratas sorpresas. Aquella niña, Betina, que le resultaba simpática pero que no era su íntima, la apoya y no la deja sola, quitándole importancia al asunto.

Podemos sustituir el problema por otros parecidos: una separación, que mamá tenga novio y aparezca en la fiesta escolar con él, cambiarse de casa o cualquier incidencia que afecte a sus parámetros sociales... y constatar que las reacciones de los niños son casi idénticas.

Nuestra posición como padres ha de ser la de demostrarle que Betina es una niña en la que puede confiar porque no la valora por las apariencias externas, sino por sus cualidades personales. Y, por el contrario, las niñas que creían que eran sus amigas del alma le han demostrado que no lo son. Hemos de intentar transmitirle la seguridad de que vamos a superar ese bache con alegría, porque consideramos que es, simplemente, una incidencia sin importancia. Las cosas realmente importantes son que la familia esté unida para superar todo tipo de circunstancias.

Aprende a comunicarte con tu hijo

La comunicación es una de las claves principales del éxito en la relación padre-hijo. Lo importante no es sólo ser un superpapá o una supermamá y poder con todo, sino crear un vínculo afectivo que nos una a ellos por encima de la relación de consanguinidad.

La vida que llevamos hoy genera a menudo gritos, prisas y carreras contrarreloj, lo que no nos deja casi tiempo para escucharlos. Con frecuencia les repetimos las mismas frases hechas y muchas veces malinterpretamos los mensajes de nuestros hijos. Éste es uno de los motivos por los que se conectan a los chats o se pasan el día enviando mensajes a los móviles. Lo hacen para no sentirse solos y, aunque parezca mentira, ésta es una de las grandes quejas de los chicos de hoy.

Los chavales de esta edad necesitan comunicarse, explicar sus cosas, que los escuches... no que los acribilles a preguntas, que quieras controlarlos y que sólo te preocupe que aprueben y que sean puntuales. En este período, el despuntar intelectual posibilita que sean capaces de reflexionar sobre sí mismos y sobre sus sentimientos y emociones.

Aplícate el cuento. Vigila qué dices y cómo lo dices

Lo que dices es muy importante, pero cómo lo dices lo es todavía más. La mirada, las sonrisas, nuestra postura y nuestros gestos, el tono y el volumen de la voz pueden dar énfasis a nuestras palabras o, por el contrario, pueden contradecirlas.

Por tanto, si no quieres enviar a tus hijos mensajes contradictorios, procura que el contenido de lo que dices sea coherente con la forma de decirlo. Si discutes con tu hijo porque te ha hecho una trastada sin querer y le dices «Ya sé que lo has hecho sin querer, no estoy enfadada, pero la próxima vez, ten más cuidado», con el entrecejo fruncido y un tono seco y cortante, seguro que no te cree. Lo mismo sucede cuando te viene a preguntar algo mientras estás viendo un partido de fútbol y le dices «Sí, sí... ahora voy», sin levantar siquiera la vista del televisor.

Veamos la siguiente situación: los papás de Alberto se acaban de separar, y con la mejor de las intenciones les explicaron a sus hijos que los papás eran muy amigos, casi como hermanos, pero a partir de ahora vivirían cada uno en una casa. Hasta aquí no pasó nada, pero un fin de semana que estaban con su padre algo se tambaleó. Se fueron con un grupo de amigos a un parque temático de atracciones, todos eran amigos, pero ellos eran los únicos que iban sólo con papá. Alberto, que tiene 9 años, al lunes siguiente no quería ir al colegio, se puso a llorar desconsoladamente... tenía un ataque de ansiedad. Los padres, muy preocupados, no entendían nada. ¿Qué le pasa? Aparentemente todo estaba bajo control, sin embargo, existía un grave problema de comunicación. El mensaje que le han transmitido los padres no le cuadraba nada a Alberto, que es pequeño... pero muy listo. Está desorientado, tiene miedo a que sus padres dejen de ser amigos, porque si siéndolo se han separado ¿qué pasará cuando no lo sean? Además, si son tan amigos, ¿por qué nunca van todos juntos a ningún lado? Alberto piensa que seguro que le están engañando, que le están ocultando algo, y esta situación le produce una inseguridad enorme. La ansiedad que sufre al sentirse engañado es tan grande que no la puede controlar. Y le está afectando en todos los ámbitos, tanto en casa como en el colegio. Lo primero que hay que hacer en estos casos es sentarse con el niño y tener una charla sincera, en la que los padres no han de intentar disfrazar la situación para evitar su sentimiento de culpa. La comunicación es un factor esencial en la creación del vínculo afectivo con vuestro hijo y no se pueden enviar mensajes incoherentes porque lo único que generan es desconfianza. Tampoco hace falta explicarle los verdaderos motivos de la separación, pero sí se ha de ser consecuente con lo que se dice, es decir: si sois amigos, no pasa nada si os vais una tarde al cine con vuestros hijos. Si, por el contrario, no lo sois, decídselo. La relación que tengáis entre vosotros no le afecta tanto si se mantiene al margen de la relación de padres. Por ejemplo: «Papá y mamá ya no son novios, pero siempre seremos tus padres y te querremos por encima de todo».

Es importante responder a las dudas que vayan surgiendo y nunca dejarlo para mañana. Hay que responder a su nivel. Si quieren saber más, tranquilos, seguro que volverán a preguntar.

Escucha con los cinco sentidos. Escuchar activamente significa que no sólo captas el mensaje de lo que te está diciendo, sino que demuestras, a través de tu actitud, que estás prestando atención, animando a tu hijo a continuar. Si además lo miras a los ojos y haces comentarios sobre lo que te explica, le demostrarás que te implicas y te pones en su lugar. Esta capacidad de saber ponerse en el lugar del otro y comprender sus sentimientos es lo que se conoce como empatía. Ésta es una herramienta fundamental en la interrelación padres-hijos.

La empatía, el saber ponerse a su nivel, no está reñida con la firmeza. Ha de haber momentos para todo; es tan importante jugar con ellos y tener una pelea de almohadas como hablar en serio y poner los límites de lo que se puede hacer y lo que no.

Buscar un espacio que fomente la charla es necesario, puesto que en nuestra vida diaria vamos todos deprisa y corriendo y casi no tenemos tiempo para nada. Se puede hacer un paréntesis a la hora de cenar, en torno a la mesa, antes de que empiece su programa favorito. O bien el sábado por la mañana para desayunar, olvidándonos de los problemas y centrando toda la atención en escuchar a cada uno de nuestros hijos. Si sois más de uno, habrá que establecer turnos para que todos puedan hablar y se eviten las interrupciones. Éste es un ejercicio fantástico, en el que se aprende a exteriorizar las vivencias y sentimientos y a compartirlos. Nos sirve para conocernos mejor, tanto padres e hijos como entre hermanos. Y ¡qué sorpresa, a todos les gusta y se pelean por ser el primero! Actualmente no es tan fácil que alguien esté dispuesto a dedicar su tiempo para escucharnos, pero eso todavía significa mucho más en el caso de los niños, que tienen un diccionario diferente, más sutil, en el que dedicación es igual a cariño. Así se sienten apreciados, valorados, queridos... y sólo por escucharlos. Porque en esos momentos no estamos haciendo nada más que estar pendientes de ellos, dedicarles nuestro tiempo y atención y eso no tiene precio y los niños lo saben.

Comunícate con él:

— Escucha a tu hijo. Hazlo en el momento en que él lo necesite, no aplaces sus confidencias.

— Interésate por su vida cotidiana: sus amigos, sus clases, los incidentes de cada jornada.

— Sé comunicativo: cuenta en casa cosas de tu trabajo, tus opiniones y sentimientos. De esta manera se consigue crear una gran complicidad y ayudará a que él comparta también sus problemas.

Gánate su confianza: ¡funciona!

Una comunicación sin fisuras es el secreto para prevenir problemas. Pero esto no se consigue de un día para otro, sino paso a paso desde que son pequeños.

Abórdalos indirectamente: despliega tu imaginación ya desde bebés. Poco a poco hay que irse ganando su confianza y hay que saber mantenerla a medida que pasan los años. Si lo consigues seguro que a los 12 años te cuentan sus pequeños problemas. Las crisis de identidad que se empiezan a sufrir a esta edad generan un cierto bloqueo y un hermetismo total. Hay que aprovechar momentos compartidos y relajados para hablar, aunque si se percibe que con los rodeos no sacamos agua clara, no queda más remedio que abordar el tema que nos preocupa abiertamente. Podemos aprovechar una tarde de compras con nuestra hija o un domingo en el parque con él. Es importante que este tipo de conversaciones se hagan entre iguales, es decir, papá-hijo o mamá-hija. Al sentirse identificados por el modelo femenino o masculino les será más fácil sentirse comprendidos. Una vez te cuenta lo que le pasa o le preocupa, no le ataques con juicios morales, simplemente valora con mucha calma los hechos tal cual son y ayúdale a sacar sus propias conclusiones. No debemos olvidar que a estas edades conocen los valores, pero su conciencia aún se está configurando. Entre los 5 y los 12 años todavía asumen los valores familiares y los repiten. Necesitan un margen de confianza: si apuestas por ellos seguro que te sorprenderán... positivamente.

¿Cuál es el papel de los padres?

La experiencia de ser padres se vive de manera muy diferente en mujeres y en hombres. Incluso las ideas sobre la educación de los hijos pueden ser contrapuestas, pero lo más importante es saber compartir, dialogar y llegar a un consenso. Los padres deben formar un equipo educativo, sean o no pareja. Tanto si están casados, separados, divorciados o, por cualquier motivo, se encuentra lejos una de las figuras, materna o paterna, no se puede contemplar el proyecto de criar y educar a un hijo de forma aislada. Se ha de tener siempre muy claro que el interés de los niños está por encima de todo.

En contra de lo que pudiera parecer, algunas parejas separadas podrían dar lecciones de paternidad a otras supuestamente «normales». Tal es el caso de María José y Salva, unos padres que vienen juntos a la consulta porque les preocupa la actitud de su hijo pequeño, Erik. «Tiene 7 años y está rebelde, se rebota por todo, cuando antes era un niño dócil y cariñoso. El otro día me montó un número tremendo porque no quería ir al colegio y, como es algo que no había pasado nunca, estamos preocupados», nos explica María José, mientras Salva asiente con la cabeza.

Nos informan de cómo ha cambiado su actitud y, tanto el padre como la madre demuestran conocer perfectamente a su hijo... sin embargo hay algo que no cuadra en la explicación. Hasta que al cabo de un buen rato, Salva cuenta cómo se las apaña él solo cuando le tocan los niños. ¡Increíble!, parecía una pareja compenetrada y resulta que están separados. Los dos adoran a sus hijos y comparten las responsabilidades y las satisfacciones por igual.

Han sabido dejar de lado las dificultades o problemas que hayan tenido como pareja y, aunque no han funcionado como tal, están empeñados en ser unos padres estupendos. Y éste es el primer paso: ser conscientes de que, en esas circunstancias, lo primero son los niños. De esta manera todos salen beneficiados.

Afrontar una separación con niños siempre es duro, por eso es importante no perder de vista que si vosotros pactáis sin rencor y colaboráis en los intercambios, los que saldrán beneficiados son vuestros hijos. Ellos han sido y siguen siendo un proyecto común que necesita crecer sin problemas.

Hay otra situación que seguro que os resultará familiar, ya que es muy común y muy perjudicial para todos los miembros de la familia. Pero tranquilos, podéis evitarla. Es el caso de la incorporación de un bebé a la familia, cuando el dúo hombre-mujer se ha convertido en un triángulo y tu pareja está desorientada: no sabe cómo actuar.

Generalmente, los hombres necesitan más tiempo para asimilar la nueva paternidad. Así que la cosa se va complicando: mientras la mamá pasa más tiempo con los hijos, el papá llega tarde de trabajar y con ganas de juerga. Todo el esfuerzo de imponer una autoridad y unos límites, una mínima disciplina que permita funcionar en la vida diaria, lo tira por tierra en cuanto llega y se dedica a saltarse todas las normas que tanto esfuerzo te ha costado que aprendieran.

Ante esta situación hay dos opciones: prescindir de él y quedarte sola ante el peligro o elaborar algunas estrategias para solucionar el problema. La primera opción es muy peligrosa, porque, aunque la mayoría de las mujeres piensa que pueden hacerlo solas, a menudo se queman a medio camino y, cuando ya no pueden aguantar más, le echan las culpas a él. Éste es el primer paso hacia la separación... Así que cuidado con creerse invencible.

Claves básicas para establecer la autoridad compartida

– **Aprended a negociar.** Si tenéis opiniones muy distintas, hay que intentar dialogar, y ceder. Negociad puntos de vista intermedios. No impongáis vuestra voluntad. No hay sólo una manera de hacer las cosas. Turnaos, un día hacedlo como dice él y al siguiente como dice ella. Comparad los resultados y luego tomad una decisión conjunta.

- **Implicaos por igual.** Es bueno saber que podéis contar el uno con el otro, que os necesitáis. Que uno sirve para contar cuentos y otro consigue que se coma la verdura. No dejéis de valorar positivamente y en voz alta las iniciativas de vuestra pareja. Os hará sentiros más unidos.
- **Contad con la opinión de un profesional.** Es importante comentar con una persona experta vuestras diferencias de opinión. Acudid juntos al pediatra, a las reuniones con los profesores o al psicólogo. Os ayudarán a trazar unas directrices más adecuadas a la situación de vuestro hijo.
- **Marcaos objetivos.** Una buena disciplina exige tres pautas: debe ser planificada, comunicada e impuesta firmemente por ambos. Proponedles pequeños objetivos concretos: que se acueste a su hora, que no juegue con la tele...
- **No desautorizaos.** El sentirse rechazado delante de los niños es humillante. Hay que saber morderse la lengua y respetar las decisiones de cada uno, aunque no se

compartan. Lo podéis discutir a puerta cerrada, más tarde.

- **Compartid responsabilidades.** Si yo lo cuido entre semana, tú el sábado lo llevas al parque, lo bañas y... Igual que los dos debéis disfrutar de vuestro hijo, los dos debéis cuidarlo.
- **Sed positivos.** Huid de los ataques personales, la ironía, las actitudes impasibles o defensivas. Cooperar y trabajar en equipo siempre da mejores resultados.

Cuarta parte

Las dudas de los padres

Actualmente, los padres se suelen obsesionar por alcanzar un sobresaliente en la asignatura de la paternidad, lo que ocasiona que la mayoría de las parejas viva en un permanente estado de duda. Cada decisión, por insignificante que sea, les hace sentirse culpables. Se genera tensión entre ellos por tener diferentes puntos de vista respecto a la educación de los hijos y, sin quererlo, se la transmiten a ellos. El resultado es el caos: nadie sabe qué es lo que hay que hacer, ni padres ni hijos. La desorientación ocasiona una pérdida de control sobre la situación que puede ser más peligrosa que el problema en sí mismo.

Cuando no sepáis qué hacer, actuad los dos a una, formando un equipo y aplicando el sentido común. Seguro que os irá bien.

El decálogo del buen padre

— No te sientas culpable por tener que trabajar.

— Respecto al tiempo, más vale calidad que cantidad.

— No le digas sólo que le quieres. Demuéstraselo también.

— No quieras que tu hijo sea lo que te hubiera gustado ser a ti.

— Fomenta sus habilidades manuales e intelectuales.

— Dale mucho cariño, pero no lo malcríes.

— Aprende a trabajar en equipo con tu pareja.

— Sé coherente con lo que dices y con lo que haces.

— Consiéntele tan sólo lo imprescindible.

— Aprende a poner límites.

¿Qué debemos consentirles y qué no?

Eso depende de los padres, pero, en general, hay que cortar actitudes que promuevan que de adultos sean maleducados, consentidos o egoístas... Por ejemplo, que el niño salte encima del sofá tiene una importancia relativa. Sin embargo, faltarle el respeto al abuelo o a algún otro mayor es inadmisible. Sencillamente, porque ningún niño saltará de mayor en el sofá por no haber sido castigado por ello de pequeño y, sin embargo, un niño al que se le consintieron groserías, de mayor será un grosero.

Preguntas y respuestas sobre las situaciones más comunes

¿Es lógico que los padres se sientan culpables cuando riñen a sus hijos?
Cuando eso ocurre quizás es porque inconscientemente están descargando su enfado sobre ellos, sin razón. A los niños hay que reñirles cuando se lo merecen realmente, en su justa medida y con independencia de nuestro estado anímico. Es injusto que los hijos paguen el mal humor de los padres. Si el niño hace algo mal, hay que cortar esa actitud, pero con justicia y sentido común. Ningún padre se siente culpable por reñir a un niño que no quiere ir al colegio, ¿verdad?

¿Es bueno que los abuelos los malcríen?
La función de los abuelos es ésa: mimarlos, consentirlos, darles un poco de respiro. Los niños distinguen perfectamente las normas que hay en cada casa y saben, desde muy pequeños, a quién le pueden pedir y a quién llorarle. Pero, tranquilos, no conseguirán destruir vuestra labor educativa, sino que, sin saberlo, colaboran con ella. A pesar de lo cual, no debéis dejar de ponerles límites también a ellos. Cuando estéis juntos, los abuelos deben respetar siempre la palabra de sus hijos respecto a los nietos y evitar interferir, ya que es entonces cuan-

do podrían surgir los problemas, puesto que se confundiría a los niños respecto a la autoridad paterna.

¿Por qué es tan importante jugar con nuestros hijos?
El cerebro es como un músculo, cuanto más se trabaja más se desarrolla. Entre 0 y los 3 años, el cerebro de los niños alcanza su grado óptimo de plasticidad, por lo que cualquier tipo de estimulación es beneficiosa. Y el juego, por su componente lúdico y de implicación afectiva, es doblemente productivo. Reptar por encima de papá o jugar a letras y números con mamá enriquece la relación padres-hijo y ofrece al niño variadas experiencias multisensoriales, que facilitarán su aprendizaje tanto intelectual como emocional.

¿Los niños son agresivos por naturaleza?
La agresividad de los niños no es más que un reflejo de la que reciben o visualizan. Por ello no se usa la disciplina como un castigo, porque lo ideal es que los niños aprendan a respetarla y no a odiarla, que es lo que pasa cuando se les amenaza con ella. Con los niños es más útil echar mano de la psicología y evitar los enfrentamientos directos. Siempre conseguirás más yendo por detrás, dándole la vuelta a la situación, anticipándote o llevándolos a tu terreno. Y, por supuesto, valorando también sus cosas buenas. No te pases el día amonestándolo cuando hace algo mal, puesto que es normal que haga muchas cosas mal –está aprendiendo–, y valora más a menudo sus cosas positivas cuando se muestra adorable.

¿Se puede utilizar el chantaje emocional para reñirle?
No, nunca. Cuando debas reprenderle por algo, hazlo con afecto. No utilices nunca expresiones como «¡Eres muy malo!, ¡esto no se hace!», «Si no me haces caso, ¡no te querré!». Mejor usa la fórmula positiva: «Mamá te quiere mucho y quiere que te portes bien, si no me enfadaré contigo». El niño debe saber que nuestro amor por él es incondicional e indestructible, incluso en los malos momentos. Eso le hace sentirse seguro, aumenta su autoestima y la confianza en sus padres.

¿Es normal tener un hijo preferido?
Siempre hay un hijo con el que te entiendes mejor o conectas con mayor facilidad. Bien porque te da menos problemas, bien porque compartís alguna afición o simplemente porque «se te cae la baba», te sientes identificado con él. Este sentimiento de predilección no supone de ninguna manera que se quiera más a uno que a otro, ya que, en principio, el cariño hacia los hijos es el mismo para todos.

¿Qué se puede hacer cuando las peleas entre hermanos son constantes?
Hay épocas, dependiendo de la edad, en que las riñas son más frecuentes. Pero sí, es cierto que cuando se aburren o no tienen nada que hacer se pelean más. Así pues, una opción efectiva para reducir las riñas infantiles es ofrecerles actividades para que estén entretenidos y distraídos. Es importante que a lo largo del día gasten energía física, jugando al aire libre en el

parque, en la piscina... de manera que estén más relajados en casa.

¿Qué podemos hacer si cada vez que ve la bata blanca del pediatra el niño se pone a llorar?
Para evitar esta situación no hay que anticiparle al niño que vamos a ir al médico en la semana previa a la visita, para que no sufra y no esté tan angustiado que en cuanto lo vea se ponga a llorar. Sino que, con toda naturalidad, lo vacunaremos casi sin que se dé cuenta y, posteriormente, valoraremos ante él lo valiente que ha sido y que no ha llorado, dándole algún pequeño premio: un globo, un cuento... De esta manera, asociará la visita al médico con algo placentero y donde se siente valorado positivamente.

¿Se pueden tener celos de la canguro?
En algunos casos se da la situación de que el niño llora cuando se va la canguro y a los padres les asalta la duda: «¿La querrá más a ella que a nosotros?». Mantengamos la calma: si el niño se encariña con la canguro, mejor para vosotros, ya que eso indica que hace bien su trabajo y que el niño está encantado, por lo que podéis estar tranquilos. Pero siempre hemos de tener claro que el vínculo que el niño tiene con los padres está por encima de canguros, profesores, abuelos... Estas dudas son sólo eso: dudas, inseguridades sin ningún fundamento.

¿Hay que castigar a los niños cuando suspenden o sacan malas notas?

No, antes hay que averiguar cuál es el motivo. Hemos de tener en cuenta que, aunque parezca que su obligación es sacar buenas notas, la intención es más importante. Deberíamos reñirlos adecuadamente cuando adoptan una actitud pasota y no intentan o no se esfuerzan en hacer bien su trabajo. Son más importantes los motivos que los resultados o los rendimientos.

¿Hay que ayudarlos cuando en el colegio les ponen un trabajo muy complicado?

Hay que darle pautas, pistas, consejos... pero no hacerle el trabajo. Es bueno que el niño aprenda a afrontar pequeños retos intelectuales y a salir airoso por sí mismo. Sí, en cambio, es imprescindible prestar toda la atención del mundo cuando te lo enseñan y te lo explican, aunque te pierdas el gol de tu equipo, puesto que eso les hará sentirse orgullosos de sí mismos y respetados por vosotros.

¿Papá tiene que ser siempre el personaje divertido?

No necesariamente. Algunas parejas intercambian sus funciones, pero no cabe duda de que durante los seis primeros meses de vida existen algunas tareas que sólo la madre puede realizar. Aunque todo depende de la estructura interna de la pareja.

¿Por qué debe implicarse papá?

Porque el contacto físico que el niño ya tiene con la madre es una estimulación de primer orden tanto a nivel afectivo como intelectual que ni padre ni hijo pueden permitirse el lujo de desaprovechar. En el juego, papá ha de dejar que experimente a su aire, que repte, que se ensucie, y actuar como coprotagonista de la diversión.

¿Es bueno que los hermanos duerman juntos?, ¿y si son de diferentes sexos? ¿Hasta cuándo?

El hecho de que los hermanos compartan su habitación tanto si son niño y niña como si son dos niños tiene muchos efectos positivos en su proceso de sociabilidad. Se hacen cómplices, aprenden a compartir, se hacen compañía y, lo más importante, refuerzan el vínculo afectivo entre ellos. Incluso se pueden bañar juntos. Pero todo tiene un límite: llega una edad, alrededor de los 10-12 años, en la que empiezan a tener intereses diferentes y necesitan cada uno su propio espacio y eso, si se puede, también hay que respetarlo.

¿Son los niños miedosos más inseguros?

El miedo es una de las manifestaciones de su ansiedad ante lo desconocido y es un elemento natural dentro de su desarrollo. Cuando son excesivamente miedosos y no consiguen superar sus miedos, nos están avisando sobre un problema de autoconfianza y, por tanto, de inseguridad que hay que ayudar a superar, intentando que lo entiendan. En este caso los cuentos pueden ser unos buenos aliados.

¿Es necesaria una bofetada a tiempo?

Según mi experiencia y mi opinión personal, darle un cachete de forma ocasional en las manos porque ha tocado un enchufe o en el culete porque se ha portado mal cuando son muy pequeños y para atajar una situación muy concreta puede funcionar. Pero no es un método educativo, ni pedagógico, para utilizarlo habitualmente. A partir de una cierta edad, 10-12 años, una bofetada en plena cara resulta demasiado humillante y seguramente desproporcionada, así que al niño le parece injusta. Lo que genera en él es mucha rabia e impotencia, justo lo contrario de lo que debería suscitar, que son ganas de actuar correctamente. Pero el problema más importante no es ése: la cuestión radica en que le estamos enseñando a solucionar sus conflictos a base de violencia o agresión física, no le estamos dando alternativas ni recursos. Por lo tanto, cuando se enfade con su hermano, reaccionará exactamente de la misma manera que nosotros, pegándole. Y si entonces lo castigamos, el niño no entenderá por qué cuando lo hace él está mal. Y seguramente os contestará diciendo: «Pues tú también lo haces». La mayoría de las veces aprenden más con el ejemplo que con los sermones que les damos. Hay que intentar decir y hacer lo mismo para ser coherentes.

¿Qué debe hacer un padre si descubre que su hijo de 12 años ha empezado a fumar?

Puede decirle: «Mira, tú puedes fumar o no fumar. Ya sé que si decides fumar te sentirás mayor, más importante. Pero si decides no fumar ¡te sentirás aún mucho más importante! ¡Descúbrelo tú mismo!». Parece arriesgado, pero si le traspasas a él la responsabilidad de la decisión, le pones en una difícil situación y ya no puede echarte las culpas a ti y actuar como un niño rebelde que hace por norma todo lo que se le prohíbe, le guste o no. Los resultados son sorprendentes, el niño queda desarmado y le costará mucho tomar una decisión.

¿Cómo podemos explicarle a un niño que vamos a tomar cartas en el asunto y que cambiaremos nuestra forma de actuar?

Los niños, a partir de los 3 años, entienden perfectamente que existen unas normas y se adaptan a ellas en el colegio, en casa de un amigo o con los abuelos. Por tanto, nada más sencillo que papá y mamá le expliquen la nueva situación y las reglas que se van a establecer a partir de ahora. Los primeros días es lógico que el niño intente comprobar si la cosa va o no en serio, pero en cuanto se percate de que vuestra actitud ha cambiado y es firme e invariable, se adaptará con una facilidad que os sorprenderá.

¿Ellos también se deprimen?

Esta enfermedad puede darse desde muy pequeños. Niños de 5 o 6 años padecen síntomas depresivos: apatía, desgana, irritabilidad, lloros sin motivo, les cuesta dormir y apenas hablan. Los motivos suelen ser factores genéticos y circunstancias ambientales adversas. Si los detectamos a tiempo tiene solución. Un clima familiar armónico, apoyo emocional, mucho cariño y el diálogo abierto con vuestros hijos, los protegen y previenen de estos trastornos.

¿Es normal que los padres tengan opiniones diferentes sobre la educación de sus hijos?
Sí; cuando una pareja decide tener un hijo no se plantea cómo lo va a educar, y esta nueva situación cambia tanto la manera de reaccionar como la de relacionarse entre sí. Es necesario un nuevo acoplamiento y plantearse en serio las responsabilidades que supone el nuevo papel de padres.

Quinta parte

El cuadernillo de los comportamientos de tu hijo

En este apartado te ofrecemos la posibilidad de llevar un diario evolutivo, no de las pautas de crecimiento, sino de las pautas de comportamiento. Hemos elaborado las tablas y gráficos necesarios para que vayáis apuntando en todo momento las distintas reacciones del niño y obtengáis así un perfil objetivo de la personalidad de vuestro hijo, al igual que vuestras reacciones y los resultados obtenidos.

Si pensamos en la educación de nuestros hijos como una tarea a largo plazo, nos será de gran utilidad en momentos decisivos. Tal y como explicamos en el primer capítulo, las tendencias heredadas del carácter se mantienen a lo largo de toda la vida y las reacciones de nuestro bebé nos pueden ayudar a comprender sus respuestas posteriores. Nos pueden ayudar a orientarlos tanto educativa como emocionalmente. Comprobaremos lo que les pone nerviosos, cómo se adaptan a las nuevas situaciones y cómo van ajustando y controlando sus emociones y sentimientos. Una aventura que compartiremos con ellos y que también nos servirá a nosotros, ya que igual que nuestros hijos aprenderán de nosotros, los padres también aprenderemos de ellos.

SIGNOS DE ALERTA: Niños de 0-6 años

	Días del mes			
Pataletas				
Vómitos				
Continuos despertares				
Enuresis (se le escapa el pipí)				
No quiere comer				
Tiene miedos				
Lloros desconsolados				

			Variables		
			Cuándo	Dónde	Por qué

SIGNOS DE ALERTA: Niños de 6-12 años

	Días d		
Pesadillas			
Tics (comerse las uñas)			
Apatía Mentiras			
Problemas con la comida — come compulsivamente — no come casi nada Enuresis			
Está enganchado a la realidad virtual (Play Station, Gameboy, móvil)			
No se comunica			

mana		Variables		
		Cuándo	Dónde	Por qué

DATOS PERSONALES: Cuaderno de anotaciones conductuales

Edad: _____ Circunstancia: _____

Conductas habituales	Cambios	+
Actitud hacia los padres	Obedece / Contesta mal	
Relación con los hermanos		
Relación con los amigos		
Rendimiento académico		
Actitud hacia él mismo: Autoestima		

eacciones		Respuesta padres		
Duda	–	+	Duda	–

Objetivo

Si queremos educar a nuestro hijo, antes hemos de entender cómo funciona.

Las anotaciones que hagáis os servirán como «diccionario» para descifrar el porqué de las reacciones del niño.

A lo largo de su vida el niño mantiene sus tendencias innatas, que os marcarán las pautas de su comportamiento.

UMBRAL SENSORIAL

Averigua el estilo comunicativo de tu hijo, cuál es su canal sensorial dominante.

Sirve para determinar cuál es el filtro por el que le llegan las informaciones del exterior y cómo las interpreta

		Descripción respuesta activa	Respuesta inhibida
Estímulos lumínicos	Sol Luz artificial Penumbra		
Estímulos sonoros	Timbre Campana Música		
Estímulos táctiles	Rugoso Suave Cosquillas		

1.er AÑO DE LA VIDA DEL NIÑO: marca la pauta

Observar y anotar las reacciones más comunes de tu hijo en estos aspectos alrededor de los que gira su vida nos sirven para descifrar su código comunicativo y personal

Lloro	Tan importante es si llora mucho, como si no lo hace: la inhibición también es una reacción y nos indica un estilo pasivo de respuesta
Sueño	La dificultad para adaptarse al ritmo de vigilia-sueño nos indica el carácter nervioso y poco dócil del niño
Comidas	Les cuesta identificar la sensación de hambre, no aceptan el biberón o siguen mamando hasta los 3 años, el paso al sólido; la aceptación de estos cambios nos indica su adaptación al medio
Evaluación psicomotriz	Su manera de relacionarse, de moverse, si es activo o pasivo son tendencias innatas que marcan definitivamente su carácter

Lloro	Tipos	1.er trimestre (0-3 meses)	
		reacción niño	reacción padres
Intensidad	**Muy fuerte** Parece que se desgañita		
	Normal		
	Flojo Apenas protesta		
Frecuencia	**Elevada** Lloro constante sin motivo		
	Normal Llora cuando tiene hambre o sueño		
	Baja Casi no llora ni protesta		
Dificultad para calmarle	**Leve** Sólo con oírte		
	Moderada Si le haces caso		
	Alta No calla hasta que lo coges		

2.º trimestre (3-6 meses)		3.er trimestre (6-9 meses)		4.º trimestre (9-12 meses)	
reacción niño	reacción padres	reacción niño	reacción padres	reacción niño	reacción padres

Sueño	Tipos	1.er trimestre (0-3 meses)		2.° trim (3-6 r
		reacción niño	reacción padres	reacción niño
Conciliación	**Buena**: se duerme sin problemas			
	Normal: tarda 15 minutos en dormirse			
	Difícil: no se duerme ni a tiros			
Interrupción	**Rara vez**: se despierta a media noche con algún motivo: fiebre, dientes...			
	De vez en cuando: a temporadas se despierta con miedos, lloros...			
	Constante: se despierta cada noche 3 o 4 veces sin motivo aparente			
Despertar	**Temprano**: a las 6.30 o 7.00 h toca diana y no hay manera que vuelva a dormir			
	Normal: desayuna pronto y vuelve a dormir			
	Tarde: le cuesta despertarse y lo hace de mal humor			

3.er trimestre (6-9 meses)		4.º trimestre (9-12 meses)		2.º año		3.er año	
reacción niño	reacción padres	reacción niño	reacción padres	reacción niño	reacción padres	reacción niño	reacción padres

Evolución psicomotriz	Aspectos a observar	1.er trimestre (0-3 meses)	
		reacción niño	reacción padres
Tono muscular	Aguantar la cabeza		
	Gateo/sentarse		
	Caminar		
Control mirada	Sigue la mirada		
	Establece contacto visual		
	No mira a los ojos		
Sonrisa social / comunicación	Responde con una sonrisa a las carantoñas		
	Imita los gestos de la cara		

2.º trimestre (3-6 meses)		3.er trimestre (6-9 meses)		4.º trimestre (9-12 meses)	
reacción niño	reacción padres	reacción niño	reacción padres	reacción niño	reacción padres

Conductas típicas	2.º año de vida del niño	1.er trimestre (12-15 meses)		2.º trimestre (15-18 meses)	
		reacción niño	reacción padres	reacción niño	reacción padres
Pataletas	Intensas: muy fuertes				
	Persistentes: constantes				
	Aisladas: de vez en cuando				
Hábitos diarios y relación con otros niños	Vestirse y asearse: lavarse las manos, dientes...				
	Pedir el pipí → retirada del pañal				
	Juegos preferidos solo o con niños				
Aparición del lenguaje	Aparición de las primeras palabras				
	Palabra-frase «Hola frase»				
	Frases, terceras palabras				

3.er trimestre (18-21 meses)		4.º trimestre (21-24 meses)		(24-30 meses)		(30-36 meses)	
reacción niño	reacción padres	reacción niño	reacción padres	reacción niño	reacción padres	reacción niño	reacción padres

Conductas	3.er año de vida del niño	1.er trimestre	
		reacción niño	reacción padres
Control de esfínteres	Diurno		
	Nocturno		
	Ocasional		
Autonomía	Habla		
	Psicomotriz		
	Sueño/comidas		
Integración en la escuela	Adaptación a las normas		
	Separación de los padres		
	Celos		

2.º trimestre		3.er trimestre		4.º trimestre	
reacción niño	reacción padres	reacción niño	reacción padres	reacción niño	reacción padres

Conductas	5.º año de vida del niño «Es el año de los límites»	1.er trimestre	
		reacción niño	reacción padres
Independencia	Miedos		
	Falta de autonomía		
	Relación y comunicación		
Obediencia	Rebelde. No se adapta a las normas		
	Siempre protesta, es tozudo		
	Es dócil y razona		
Síntomas psicosomáticos	Enuresis		
	Insomnio		
	Fracaso escolar		

2.º trimestre		3.er trimestre		4.º trimestre	
reacción niño	reacción padres	reacción niño	reacción padres	reacción niño	reacción padres

Conductas	7.º año de vida del niño	1.er trimestre	
	«Los cambios»	reacción niño	reacción padres
Esfera intelectual	Razonamiento: establecimiento de las normas		
Esfera afectiva	Autoestima: elaboración de la imagen de uno mismo		
Esfera social	Empatía: primeras relaciones sociales. Los amigos		

2.º trimestre		3.er trimestre		4.º trimestre	
reacción niño	reacción padres	reacción niño	reacción padres	reacción niño	reacción padres

Conductas	10.º año de vida del niño	1.er trimestre	
	«La estabilidad»	reacción niño	reacción padres
Esfera intelectual	Conductas características. Búsqueda del porqué		
Esfera afectiva	Ya sé cómo soy y saco a relucir mis posibilidades. «Estoy seguro de mí mismo»		
Esfera social	Busca el apoyo de sus amigos, son muy importantes para su desarrollo		

2.º trimestre		3.ᵉʳ trimestre		4.º trimestre	
reacción niño	reacción padres	reacción niño	reacción padres	reacción niño	reacción padres

Conductas	12.º año de vida del niño	1.er trimestre	
	«Empieza el inconformismo»	reacción niño	reacción padres
Esfera intelectual	Se sitúa en un plano de igualdad respecto al adulto		
Esfera afectiva	Provoca situaciones para comprobar sus afectos e identificar sus emociones		
Esfera social	Necesita sentirse reconocido y tener un lugar en el grupo de amigos		

2.º trimestre		3.ᵉʳ trimestre		4.º trimestre	
reacción niño	reacción padres	reacción niño	reacción padres	reacción niño	reacción padres

Diseño: Jordi Salvany
Fotografía de la cubierta: Photonica

Círculo de Lectores, S. A. (Sociedad Unipersonal)
Travessera de Gràcia, 47-49, 08021 Barcelona
www.circulo.es
9 4 0 0 7 8

Depósito legal: B. 24741-2004
Fotocomposición: Víctor Igual, S. L., Barcelona
Impresión y encuadernación: Printer industria gráfica, s. a.
N. II, Cuatro caminos s/n, 08620 Sant Vicenç dels Horts
Barcelona, 2004. Impreso en España
ISBN 84-672-0805-8
N.º 31245